S0-BZG-634

Picasso

英戈・瓦爾特
Ingo F. Walther

# 帕布羅・畢卡索
# PABLO PICASSO
## 1881–1973

## 世紀奇才

班納迪克・塔森
Benedikt Taschen

封面
戴條紋帽的女人半身像（局部），1939
Buste de femme au chapeau rayé
畫布、油彩，81 × 54 公分
巴黎，畢卡索美術館 (Musée Picasso)

頁二圖
拿著調色板的自畫像，1906
Autoportrait à la palette
畫布、油彩，92 × 73 公分
費城，費城美術館 (Philadelphia Museum of Art)
傑拉丁 (A.E. Gallatin) 收藏

封底
帕布羅・畢卡索與手指麵包
羅伯・杜阿斯諾 (Robert Doisneau) 拍攝
瓦洛西，拉・嘎拉斯別墅 (Vallauris, Villa La Galloise) 1952

本書採用 100% 無氯漂白紙印製，符合 TCF 標準

© 1997 Benedikt Taschen Verlag GmbH
Hohenzollernring 53, D-50672 Köln
© 1993 VG Bild-Kunst, Bonn for the illustrations
Chinese translation: Mali Wu, Taipei
Cover Design: Angelika Taschen, Cologne

Printed in Germany
ISBN 3-8228-9155-X
RC

# 目　錄

# 童年及年少時期
# 1881–1901

集畫家、雕塑家、版畫家和陶藝家於一身，以其作品的質與量，在藝術史上，無人可與比擬，因而被冠上「世紀奇才」的稱號，雖然沒錯。但他若不是畢卡索的話，是否也可能成為這樣的神話人物？要成為奇才，不只作品得具革命性，不斷創新，打破一切過去的傳統，還需具有獨特的魅力，使批評者和崇拜者能趨之若鶩，為之著迷。畢卡索就擁有這許多的能力。

作品的介紹，是藝評和藝術史家的責任。但他們和能忠實傳達才子難以抗拒之魅力的，如：親戚、熟識、朋友、同好，以及這位藝術家的傳記作者們，不能全然分開，如此才得以讓人了解才子人性的一面。畢卡索現象，他對後代藝術家的影響，他受歡迎的程度，若沒有這些人在藝術家及其作品，畢卡索這個人與觀眾，以及畢卡索誠摯的景仰者與嘲弄的懷疑者間做為橋樑，根本就無從理解起。

畢卡索的傳記，遠從他未出生前開始寫起。因為，他的傳記作者們認為，他那難以理解、無法想像的奇才，只有從他處尋找根源。可以想見，他們便從過去尋找蛛絲馬跡，而且在他父親那一代找到線索。畢卡索的父親唐·荷塞·路易茲·布拉斯哥 (Don José Ruiz Blasco) 是個資質平平的畫家。父親這一支還被追溯至 1541 年。羅蘭·彭羅斯 (Roland Penrose) 這位最知名的畢卡索傳記作者，如此形容這一脈的祖先：「全心奉獻、堅強、勇敢、喜好藝術，在宗教問題上頗為坦直等，這些性格在他祖先中都一再出現。」也顯現在這位最出名的子孫 —— 帕布羅·路易茲·畢卡索

畢卡索自畫像，1901
Autoportrait: Yo Picasso
畫布、油彩，73.5 x 60.5 公分
私人收藏

第一次聖餐式，1895/96
La première communion
畫布、油彩，166 x 118 公分
巴塞隆納，畢卡索美術館 (Museo Picasso)

「如果我們已很清楚要做什麼，那幹嘛還做？因為既已知道了，就毫無意思，不如做點別的。」

畢卡索

「和音樂相反，繪畫裡根本沒有所謂的奇才。一般認為的早熟天才，其實是童真本有的異能，這種異能會隨年齡而衰減。也許這個小孩會成為畫家，而且是偉大的畫家，但他必須一切從頭開始。至於我，根本就不具這樣的天才。我第一張素描，根本都進不了兒童畫展。我缺乏兒童的笨拙與純真。七歲時，我就可以畫學院式的素描，巨細靡遺，頗為精確，連我自己都覺驚訝。」

畢卡索

皮德羅‧馬那赫畫像，1901
Portrait de Pedro Mañach
畫布、油彩，100.5 x 67.5 公分
華盛頓，國家畫廊 (National Gallery of Art)

(Pablo Ruiz Picasso) 身上。同樣的，他母親那邊的先祖也被耙理了一翻。唐娜‧瑪麗亞‧畢卡索‧伊‧羅佩絲 (Doña María Picasso y López) 至少把外表長像遺傳給兒子，而她的先祖中也曾出過兩位畫家。

他的出生本身，就是眾多傳奇的第一樁，這自不在話下。據說，接生婆當時以為這孩子死了，不再理他，轉而全力照顧母親。然而靠唐‧薩爾瓦多 (Don Salvador) 這位叔伯醫生的沉著，才把孩子從奄奄一息中挽救回來。他用的方法簡單又具神效，不過是把雪茄煙對著這位後來的天才吹了幾口，小帕布羅馬上就哭出聲來。地點是在馬拉嘎 (Málaga)，時間是 1881 年 10 月 25 日，晚上 11 點 15 分。

畢卡索自己喜歡一再提起這個傳聞，而他的傳記作者們也樂於記述：畢卡索在生命之初便已面對死亡，並戰勝它 —— 雖然藉助了外力。畢卡索的精力，即使到了九十歲，依然驚人，這活力從他出生開始，就已令人印象深刻。缺了它，他那獨樹一格的作品，便無法想像了。

十歲前，畢卡索一直住在他的出生地馬拉嘎，過著相當簡樸的生活。父親靠著在市立美術館當保管員的微薄收入，以及在聖德爾摩學校 (Escuela de San Telmo) 當素描老師，辛苦維持家計。當他得到西班牙北部一份待遇較好的工作時，馬上接受，並把全家遷到大西洋邊的省會 —— 拉可倫納 (La Coruña)，一住就是四年。

父親雖然對帕布羅在學校的功課頗為擔心，但他也是第一個發掘兒子才華的人。畢卡索後來自己也說，他只對老師如何在黑板上畫出數字感興趣，他可以跟著依樣畫葫蘆。數學的問題，對他反而是次要的。他自己也很驚訝，不知是如何學會加減乘除的。不過他懂得抓住每個可以畫的機會。他認為這是唯一適切的自我表達方式。

這位天才拒絕傳統的教育方式，他的藝術似乎完全靠自修習得。父親只在開始時是他的學習對象，但十三歲時，帕布羅就已趕上父親。他簡述一個發生在他與父親間，對其個人紳具意義的經驗說：「他把顏料、畫筆交給了我，從此不再畫畫了。」當時畢卡索不過幫父親在一件作品中畫了鴿子腳，結果畫得很成功，父親因而把畫具給他，表示年少的帕布羅已是個成熟的藝術家了。

投考巴塞隆納 (Barcelona) 拉‧隆尼亞 (La Lonja) 藝術學校時，他的成績一樣突出。由於父親在該處獲得教職，於是全家在 1895 年搬到這個港都。他去交涉，希望讓帕布羅得以越級就讀。而依規定，他得在一個月後繳交作品，以決定可否修古典藝術及靜物等進階課程。而據說，帕布羅隔天就交出作品。不僅如此，他的畫作竟比那些畢業生的畢業作品還傑出。

他是個神童。在沒有受任何訓練下，以十四歲年紀，竟已做到一所著名學院的要求。他後來的一個女性友人及贊助者 —— 哲楚

為「四隻貓」設計的海報，1902
Projet d'affiche pour Els Quatre Gats (Les quatre
chats)
從左到右：羅莫依、畢卡索、羅魁洛、馮波那、
得·索托、沙巴德斯
(Romeu, Picasso , Roquerol, Fontbona, Angel F.
de Soto, Sabartés)
鋼筆畫，31 x 34 公分
安大略，私人收藏

「我可以驕傲地說，我從未把繪畫當做純粹娛
樂或消遣的藝術。圖像和色彩是我的武器，藉它
們深入對世界以及人的認知，而這個認知將使我
們越來越自由…。是的，我知道，在繪畫上，我
就像個革命鬥士。」
畢卡索

喝苦艾酒的女人，1901
La buveuse d'absinthe
紙板、油彩，65.8 x 50.8 公分
紐約，梅爾米爾·霍爾 (Melville Hall) 收藏

德·史坦茵 (Gertrude Stein) 也認為，畢卡索是個天生的大師：「他從小就開始畫，畫得不像小孩，倒像個天生的畫家。」她說。有書上指出，畢卡索的天賦在於，小時候畫的像大人，成人後，藝術卻能保有童趣。保羅·埃魯亞爾 (Paul Eluard) 1951 年在倫敦的演講，標題即為：「畢卡索，這位世界最年輕的畫家，今天將滿七十歲。」

畢卡索還在求學時，作品就與巴塞隆納畫家並列展出。他第一幅大號的油畫作品〈第一次聖餐式〉（第 6 頁），畫於 1895/96 年，和一些藝術上的先驅如聖提牙哥·魯西紐爾 (Santiago Rusiñol) 及伊西朵·諾內爾 (Isidro Nonell) 的作品，在當時巴塞隆納最重要的展覽中一起展出。畢卡索的作品必然符合學院所有的要求。他選擇宗教題裁，內容卻不談聖徒故事，而是頗具意義的個人事件，把初次被教會接納的宗教事件，描述為家族的歷史。如果說他所選的題裁，是為了滿足學院要求的甜美熱情，那麼寫實的繪畫方式，更在於迎合大眾品味。不久畢卡索便告別這種細膩的學院風格。

夏天在馬拉嘎短暫停留後，畢卡索在 1897 年搬到馬德里 (Madrid) 一個新的工作室。他在西班牙最賦盛名的學院 —— 聖·菲南度 (San Fernando) 註冊。然對他後來影響深遠的是，多次到普拉多 (Prado) 美術館研習。首先他臨摹老大師的作品，摹仿他們的風格；在他後來的作品裡，它們就成為圖畫的範本，而他加入許多新的，且更自由的變化。

然而畢卡索在馬德里停留卻告中斷。六月初他得了猩紅熱，返回巴塞隆納療養。但才一回去，靜不下來的畢卡索，馬上就和友人曼努耶·巴拉雷斯 (Manuel Pallarés) 到山城 —— 合爾塔·得·艾布洛 (Horta de Ebro) 旅行。在馬德里，他逐漸與學院和家人疏遠，而在庇立牛斯山 (Pyrenees) 偏遠的小村莊，他尋回了自己。1899 年春，他滿懷野心計劃回到巴塞隆納。這時他對西班牙繪畫的新發展，抱著較開放的態度，並試著與重要代表人物接觸。這些人主要的聚會處，是藝術家常去的「四隻貓」(Els Quatre Gats) 酒館。在這裡，他終於認識了現代派的魯西紐爾和諾內爾，並效法他們受法國年輕風格派及英國前拉菲爾畫風影響下的藝術表現。這些年長的畫家們不久也頗看重他，於是 1900 年，他便在這個酒館裡首次展出。

由於對新藝術的嚮往，使畢卡索想去巴黎這個當時的大都會。那兒是西班牙現代主義的發源地，而他只看過現代主義的複製品。歐立·德·土魯茲 —— 羅特列克 (Henri de Toulouse-Lautrec) 尤其吸引他。在畫商那兒，他也見到保羅·塞尚 (Paul Cézanne)、艾德加·竇加 (Edgar Degas) 及皮耶·波納爾 (Pierre Bonnard) 的作品。在巴黎，他感受到一股自由和無憂無慮的氣息，這正是他那奮勇前衝的性格所需的。這裡他也找到藝術實驗所須的開放環境。

皮德羅·馬那赫 (Pedro Mañach)，一個年輕的畫商，對畢卡索的畫極感興趣，馬上給他一紙合同，畢卡索毫不考慮就接受了。只

「我聽說你在寫作。不論你作什麼,我都不會
感到訝異。如果有一天,你告訴我你去主持彌
撒,我也會相信。」
　　　　　瑪麗亞・畢卡索寫給她兒子的信

需固定給幾幅畫,每個月就有一百五十法郎可領,這對疏解他的經濟困境頗有助益。感激之餘,畢卡索為他這第一位畫商,畫了多幅肖像(第9頁)。

他在西班牙家鄉停留很短暫。雙親覺得他變了。以他們一般小市民的想像,根本無法接受兒子那副波西米亞德性,也不了解他那洋溢熱情的繪畫。他們原本希望,他能成為地方著名的學院畫家,卻破滅了。他們以為,這個孩子已無法光耀門楣。然他們錯了。由於和父母關係交惡,畢卡索原本想出版藝術雜誌的野心計劃,在出了幾期後也告終。1901年5月,在對家鄉那種狹隘觀念失望透頂後,他又回到巴黎。

受學院教育後,畢卡索慢慢發展為成熟的藝術家;在年僅十六歲時,就已學得學院裡所能學的一切。然後他轉向西班牙當代藝術,所抱的野心,就如他在一封信裡提到,要比現代派還現代。他達到目標了。在學習期間,只有巴黎還對他具有挑戰性。一年不到,他便又學會那裡的最新藝術潮流。

他的粉彩畫(第13頁),帶有竇加柔和的色調,土魯茲 — 羅特列克專善的上流社會社交生活題裁,以及畢卡索的自由性格。每天他畫三幅油畫,像〈喝苦艾酒的女人〉(第11頁)這樣的畫作,告示了他藍色時期即將到來。她獨坐桌邊,與面前酒杯交談。憂鬱還不是這張畫的主題,它被消解輪廓的色彩給摒除。

畢卡索還沒有找到自己的風格,但研摹他人畫藝,找尋自己的時代終於結束。藍色、粉紅色時期,便是他圖謀自立發展的作品階段,就要即將到來。學習期結束:畢卡索於是成了畢卡索。

戴藍帽的女人,1901
Femme au chapeau bleu
紙板、粉彩,60.8 x 49.8 公分
琉森,羅森加特畫廊 (Lucerne, Galerie Rosengart)

# 藍色及粉紅時期
## 1901–1906

一開始便展現大師手筆。藍色時期是從〈招魂 —— 卡薩格瑪的告別式〉（第 16 頁）這幅畫開始。這是一段友誼結束的標記，同時也是畢卡索新的創作階段開始，在接下來六年裡的作品，他對巴黎無拘無束生活的迷戀已全然消失。當畢卡索和來自巴塞隆納的友人 —— 卡洛斯・卡薩格瑪 (Carlos Casagemas) 首次來到巴黎時，那些在公眾場所相擁的情侶、輕佻的舞孃，放浪的風氣，對這兩位畫家一方面頗為震撼，另一方面又代表一種解放。這樣的東西，在保守的西班牙完全無法想像，因而他們當時頗受世界之都放浪生活所誘惑。現在，沒有朋友卡薩格瑪相伴回到家鄉，那種耽溺早已煙消雲散，激情過後剩下的只是平淡。

這位朋友由於單戀一位模特兒 —— 潔曼 (Germaine)，而在巴黎咖啡館裡舉槍自殺。事情發生在 1901 年 2 月，而藍色時期在該年夏才開始。這之間畢卡索以繪畫使自己逐漸接受這位朋友之死。繪畫對他不只是表達自我的語言 —— 畢卡索也相當多話，相反的，藉此他也在吸收、探索、了解世界，而了解對他而言便是觀察、感知。只有在這個背景下，才能了解他所說的：「當我接受卡薩格瑪已死，便開始以藍色作畫。」朋友之死引發藍色時期。當畢卡索終於面對這無法理解的，接受它為事實，才有這個時期的誕生，而呈現出這個認知過程的畫作，是三張棺木中的卡薩格瑪肖像，而其後多年，他不再創作色彩如此鮮艷的畫作。在這三幅畫中，畢卡索使用十九世紀繪畫中，最具悲劇性的文生・梵谷 (Vincent van Gogh) 風格；這位藝術家和卡薩格瑪一樣以自殺了結一生。

〈人生〉草圖，1903
Etude pour (La vie)
蘸水筆畫，15.9 x 11.2 公分
巴黎，畢卡索美術館 (Musée Picasso)

人生，1903
La vie
畫布、油彩，196.5 x 128.5 公分
克里夫蘭，克里夫蘭美術館 (The Cleveland Museum of Art)

招魂 —— 卡薩格瑪的告別式，1901
Evocation (L'enterrement de Casagemas)
木板、油彩，150 x 90 公分
巴黎，市立現代美術館 (Musée d'Art Moderne de
la Ville de Paris)

「我不是悲觀主義者，我不討厭藝術，因為如果不把所有時間拿來創作，我就不知怎麼活下去。我愛藝術，因為它是我生活唯一的目的。一切為藝術所做的，都可以帶給我極大的快樂。雖然如此，我一直無法接受全世界的人為什麼那麼注意藝術，為什麼要求藝術證明自己的價值，但對這個題目卻如此愚蠢、無知！美術館不過是一堆謊言，而想做藝術生意的，都是一些騙子。」
畢卡索

　　在這些肖像畫後，畢卡索馬上著手繪製〈卡薩格瑪的告別式〉。他為朋友安排了有如為聖徒舉行，極具尊榮的安葬儀式。他的告別式相當世俗化，也可說是無神論式的。通敘環繞在白馬引領上天的靈魂四周的，是天使的合聲，但他卻安排一些妓女，縈繞在聖潔的雲端，身上除了襪子，一絲也不掛。畢卡索讓這位在人間享受不到極樂的朋友，得以在天堂享樂。而仍活在人間的，以極悲傷的姿勢，在死者旁哭泣，其中包括畢卡索自己。由於悲傷，他畫了這幅畫。死亡對他是個極為深刻的體驗，不由自主的，他藍色時期處理的都是這個題裁。

　　當卡薩格瑪自殺時，畢卡索正好在托雷多 (Toledo) 看到艾爾·葛雷柯 (El Greco) 的〈歐貴茲伯爵的葬禮〉，便以此畫做為範本。艾爾·葛雷柯的影響不只在構圖靈感上。畢卡索發現，他的畫有一種特殊風格，具有一種他自己也想要傳達的感受。人物身形被拉長，因而艾爾·葛雷柯和畢卡索的畫中人物都有點遠離世界。艾爾·葛雷柯的宗教畫，藉誇張比例，表現人物的神聖，以及事件的超驗性。然而畢卡索表現的遺世，並非影射神的宇宙；他的人物都不是遺世獨立，而是為世界所棄的貧病者。另一個畢卡索借用的風格是背景那片雲狀的彩色條紋。它們使圖畫裡的故事，產生一種戲劇性效果，同時使人物所活動的空間，變得世俗化。

　　卡薩格瑪之死是繪製這幅雄偉繪畫的具體動機，而主要使用藍色調，也是題裁之故。畢卡索覺得，只有藍色才足以表現他的悲傷和痛苦。連續四年他都運用這個色彩，之後越來越傾向單色畫，偶而才透出一點綠或紅光。色彩的自主性表示，繪畫不是用來再現外在的世界。所呈現的，既是刻意的，當然便是一種藝術。而以單一色彩聯結一群作品，也呼應著克勞德·莫內 (Claude Monet) 主題性的系列創作。在學習期，畢卡索跟隨外在世界潮流，不段變換風格的情形已不再。現在，他已有了自己的風格。藍色是他作品中第一個讓人可以辨識的標記。

　　但是時候還沒到，當時只有少數人認識這位年僅二十歲的西班牙人。他仍刻苦地住在畫商馬那赫為他安排的閣樓畫室裡，這個畫室曾是卡薩格瑪的工作室，而告別式這幅作品也是在此畫成的。畫完成後，便在這狹窄空間當屏風用，屏風後則是畢卡索習慣的創作性混亂，不論他到何處，混亂便跟到何處。那是他佔有空間的方式，即使住在空間寬敞的別墅裡，也不改此風。混亂對他而言具有

海邊窮人，1903
Les pauvres au bord de la mer
木板、油彩，105.4 x 69 公分
華盛頓，國家畫廊

「藝術家就像是感覺的聚寶盆，它來自四方，來自天上、地上、一張小紙片，一個眼前晃過的東西，或蜘蛛網。因此不應去區分它們，沒有階級差異。我們應四處去找尋一切對作品好的東西，就是別找自己的作品。我討厭自我重複。但如果一些老素描攤在我面前，我就會去取用一切對我有用的。」　　　　　　　　　　畢卡索

刺激作用，如此他才可大談如何把真正混亂組織起來的哲學。那段時間畢卡索畫得很少，他又靜不下心來。終其一生，他經常搬家，而且並非得在家鄉或流亡做選擇。他再度到巴塞隆納，不久又回到巴黎，而 1903 年春，又從巴黎返回西班牙。

這一次，他在巴塞隆納難得地呆了一年，開始懷著新的熱情工作。第一個成果是頗具象徵意味的〈人生〉（第 14 頁）作品，畢卡索為此畫了無數草圖。這裡沒有一個東西是即興、多餘的，一切都經過事先的算計，但卻不一定讓人真了解裡面的一切。畢卡索對畫中主題的明確掌握，反使觀眾落入不確定裡。畫中景象到底發生在何處？從一張草圖（第 15 頁）看來，好像是在藝術家的工作室？但那裡出現的畫架，到了畫中卻消失。圖的下半，踡縮蹲著的人，還可視為「畫中畫」，隱指藝術家的工作室。因而圖畫中央的小畫，便成為第二個現實層面，還把站立的人分為兩邊。這製造一種印象，好像圖畫元素被分割，人物不過是一個個添加進去，彼此毫無關聯。畢卡索想藉圖畫中四個區塊，呈現四種不同的存在形式：一個沒有任何情愛，踡縮一角的孤獨者；一對相擁的情侶；一個暱愛孩子的母親；而與之相對的是一男一女，象徵著肉體慾望。（畫中這個男性，又是他死去的畫家朋友 —— 卡薩格瑪。）人生被定義為，情愛的失去與獲得。

藍色時期從卡薩格瑪之死開始。他選擇自殺，因為他的愛無法獲得回應。即使畢卡索後來圖畫處理的，不是死亡，但還是孤獨或缺乏愛。〈海邊窮人〉（第 17 頁）就是個明顯的例子。他們是沒有親情的一家人，缺乏生命力，僵立有如雕像。四周沒有任何東西可使他們有希望脫離那種孤立狀態。只有小孩作出手勢，頭還不屈地舉著。人物被裹包得有如要鑽進衣物裡；而顯露於外的便是赤裸的，赤赤裸裸的貧窮。在這圖畫裡，畢卡索毫不掩飾他的悲情。

畢卡索和他的畫中人一樣貧窮，一樣孤獨，不過至少孤獨不長久。他四度到巴黎，箱中裝滿他的所有家當，這一次，他決定移居巴黎。新住所在巴黎波希米亞的中心，殘破的工作室，位於蒙馬特的哈維農路 (Rue Ravignan)，該處被他的詩人朋友馬克斯·亞可普 (Max Jacob) 稱為「洗衣舫」(Bateau-Lavoir)。在這間奇特的房子裡，他巧遇慧蘭·歐麗薇葉 (Fernande Olivier) —— 他第一個長期的伴侶。和她在一起時，畢卡索的經濟困境並未稍減，然她具有一種才華，能叫小商店的老板讓她賒帳。另外，她的重要貢獻在於，

女人與烏鴉，1904
Femme à la corneille
紙、炭筆、粉彩、水彩，64.6 x 49.5 公分
托雷多（俄亥俄州），托雷多美術館 (The To-ledo Museum of Art)

賣藝人家，1905
Famille d'acrobates
鉛筆、炭筆，37.4 x 26.9 公分
巴黎，畢卡索美術館

使四處飄蕩的畢卡索，終於定居下來。畢卡索和「美麗的慧蘭」維持了七年戀情。他本想和她結婚，在這關係上，他抱持相當開放的態度，但她卻不曾點頭答應。即使畢卡索的父親 —— 唐‧荷塞，也想不到她會這麼固執，要他兒子更加努力。但他們不知，慧蘭其實已經結婚了。

慧蘭、畢卡索，以及其他住在「洗衣舫」的朋友們，敘到藝術家聚集的咖啡館「敏捷的兔子」(Le Lapin Agile)。碰巧詩人居雍姆‧阿波里拉爾 (Guillaume Apollinaire) 和亞可普偶而也去。老板叫富利德 (Frédé) 接受以畫抵錢，這使他和咖啡館特別具有號召力。因此他擁有可觀的收藏品，其中當然也包括一件畢卡索的作品：〈在敏捷的兔子裡〉。該畫構圖屬於受土魯茲 —— 羅特列克影響的時期，畢卡索扮演丑角，富利德則是吉它手。

〈女人與鳥鴉〉（第 19 頁）畫的是老板富利德的女兒。她吻著鳥，細長的手指貼在牠胸上。明亮的臉孔只以鉛筆勾畫出，紙的白色由陰影線透出，使皮膚看起來極為蒼白。一道柔光好似從臉上掠過，使女孩臉孔細緻的地方特別凸顯出來。她那宛如一條條雋刻出來的細髮，有一絡從太陽穴上往下垂。黑鳥卻反而沒有任何立體感，有若一塊陰暗平面，從那裡長出瘦長的爪來。藍色退成背景，取而代之的是一襲溫柔玫瑰色，有些地方近乎琥珀色的薄薄衣物，披在纖細的身上。在這過渡到粉紅時期的階段裡，畢卡索充份利用成熟的繪畫技巧，表達他對美的禮讚。

而這裡，我們只感受到淡淡的憂鬱。人間苦痛不再是苦澀的，轉而變為甜美的，足以令人沈醉其中。同樣情形也出現在〈藝人〉（母親及小孩）畫上（第 21 頁）。他們剛演出完，孩子還穿著表演服裝。母親以布裹身，頭髮束起，上面插著一朵花。和她那具古典美的五官相比，她的痛苦還算什麼？而和以卓越技法繪成的餐盤相較，盤上食物的粗劣不足，便微不足道了。在藍色時期，平滑、具疏離感的圖畫表面與人物的孤立還有相應關係，現在，儘管色彩塗得很輕淡，但不會產生清冷或貧瘠的感覺。繪製流暢的色彩，反而賦與圖畫一種華貴的感覺。貧窮竟可以這麼美！

難怪這些畫在後來都成為畢卡索最貴的畫。約翰‧柏格 (John Berger) 帶著嘲諷但頗一針見血的評論說：「富者喜歡想到貧者的孤獨，因為這樣，他自己的孤獨便顯得並非來自什麼特殊的宿

「真的好好去想，能畫的題裁其實真少。它們不斷被重複。維納斯與愛情，變成聖母瑪莉亞與聖嬰，又變成母與子，題裁其實沒有改變。能發現新的題裁多好。像梵谷，畫一個再平常不過的馬鈴薯，還有他的靴子！這才是真正的創新。」
畢卡索

母親與小孩（藝人），1905
Mère et enfant (Baladins)
畫布、膠彩，90 x 71 公分
斯圖加特，斯圖加特國家畫廊 (Staatsgalerie Stuttgart)

母親與孩子，1904
Mère et enfant
鉛筆畫，34 x 26.6 公分
劍橋（麻州），法格美術館，哈佛大學
(Fogg Art Museum, Harvard University)

命。這便是為什麼這時期的作品，特別受到有錢人青睞的原因。」雖然畢卡索在巴塞隆納和馬德里一些展覽裡，已找到幾個買主，但要有更大、更出色的成功，卻還得等段時間。直到粉紅時期後，才有越來越多畫商，開始對他的畫感興趣。但這之前，畫了也只能貯存起來。

　　其中有一幅叫〈著襯衣的女子〉（第 23 頁）。畢卡索從在巴塞隆納開始畫畫起，就沒有中止畫肖像。除了無數鉛筆、鋼筆、油畫的自畫像外，他畫了自己家人：父親、母親、姐妹、琶芭 (Pepa) 阿姨，接著畫朋友、藝術家，裁縫師索樂 (Soler)、單眼的老鴇 — 伽雷斯汀娜 (Celestina)、畫商等。他對這個圖畫類型的興趣並非偶然，畢竟這需要觀察者與對象之間的接近。現在，1905 年，藍色時期結束，這幅畫所述說的，不再是孤獨或孤立，相反的，微側的頭，直而有神的眼睛，直挺的身軀，輕鬆自然下垂的手，讓人感覺年輕女子的自信。雖然在藍色時期也有裸體畫，但看起來不太吸引人，不若這個著襯衣女子那般性感。她的確具有性感的媚力，尤其她那透明的襯衣，隱約顯露她那纖細、稚嫩的身軀，與過去圖畫中那沉重、掩蓋一切的衣物，大大的不同。這張畫，讓我們再度看到畢卡索卓越的手法：細細流下的色彩，為圖畫背景製造一些波紋，與艾爾・葛雷柯那戲劇性的彩色條紋大不相同。

　　因此兩個階段之間的斷層，比原所猜想的還要大許多；不只是在形式媒介的應用上，連圖畫題裁也有明顯的改變。雜耍者、走索者、丑角，取代了乞丐、盲人及體衰者；貧窮、沮喪，一轉變成輕盈的繆斯。當然，他們是一些悲哀的小丑，是安端・華鐸 (Antoine Watteau) 和塞尚都畫的人物。但他們不只出現在生命的暗處，也不是天生的輸家。畢卡索和朋友們，一個禮拜會去好幾次，看美達若 (Médrano) 馬戲團演出。他們那亮麗的粉紅色帳篷，遠遠就看得到。它就在蒙馬特下，他工作室附近。由此他接觸到，這個在某些地方與他相近的世界。

　　畢卡索這些畫，抓住了這敏感一代對生活的感受。阿波里拉爾及其他一些人，都是靜不下來，在城市中，心無所繫的人。他們覺得自己就像這些不斷遷徙的藝人。其中也包括賴納・瑪麗亞・里爾克 (Rainer Maria Rilke)。他在 1915 年到慕尼黑做客，在主人 —— 荷塔・凡・柯尼西 (Herta von Koenig) 家中，天天面對畢卡索

「在我們這個可憐的時代，需要給與振奮的力量。有多少人真的讀過荷馬？但大家都在談他，因此才有荷馬傳奇的出現。這樣的傳奇，能夠形成一個極有價值的刺激。振奮是我們以及年輕人所需要的。」　　　　　　　　　　畢卡索

著襯衣的女子，約 1905
Femme à la chemise
畫布、油彩，73 x 59.5 公分
倫敦，泰德畫廊 (Tate Gallery)

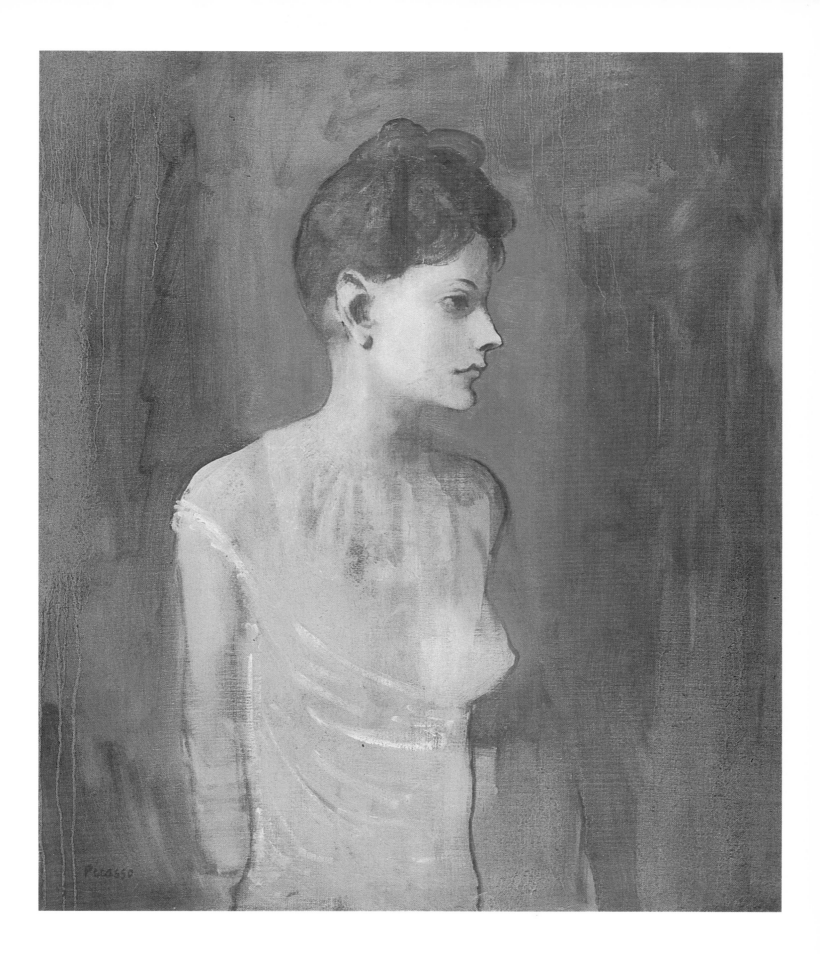

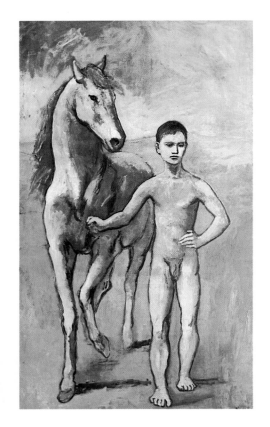

牽馬的少年，1906
Meneur de cheval nu
畫布、油彩，220.3 x 130.6 公分
紐約，現代美術館 (The Museum of Modern Art)

「對我而言，藝術既沒有所謂過去，也沒有未來。如果一件作品不能在當下具有活力，就不需理睬。希臘、埃及等過去偉大畫家的藝術，都不屬於過去，也許它們在今天，比在過去更具活力。藝術並非從自身發展出來，而是，一旦人的想法變了，表達形式就會跟著變。」

畢卡索

的〈賣藝人家〉（第25頁），於是在《杜英諾悲歌》獻給賣藝人的第五首詩中，把畢卡索的畫寫成詩：「他們是些什麼人，告訴我，流浪的藝人，這些人／比我們還輕飄，（…）像上了油般／順風滑下／在襤褸的，因不斷／跳躍而越見單薄的毯子上，這塊迷失的／在宇宙中的毯子。」

和雜耍藝人一起又出現在圖畫中的物體有：女孩手邊晃動的籃子，小丑扛在肩上的袋子，年輕伙子負在肩上的鼓，以及畫面前方，女士旁邊的花瓶。這些道具，雖然不帶有什麼意思，卻清楚交代人物的身份。而人物間的關係也變得更為輕鬆；這尤其從丑角牽著女孩手的輕鬆模樣可看出。然而，人物和物體一樣，都沒有什麼故事，畢卡索不在這些畫裡敘述什麼，而是描繪一種狀態。

但圖畫仍帶有的冷感，主要來自人物服裝與周遭不協調所造成。他們穿著表演服裝，處身所在卻不是表演場，而是一望無際的荒漠。在這孤寂的地方，沒有觀眾，毫無馬戲團氣氛，這些賣藝人就如異鄉客。而他們的服裝還帶來其它的效果：緊身衣緊貼著身，有如第二層塗了顏色的皮膚，彰顯出身體的立體感。和前一個風格時期所畫的著衣人物相比，又是多麼的不同。畢卡索在這張畫中，表現他對三度空間形體的新興趣，也許原因在於，這時他也開始想當彫塑家。

畢卡索在〈賣藝人家〉這張圖中，再度接近古典的美感理念。拉長的身形不見了，不再用矯飾、激情的姿勢，雙腿敞開方向各異的站姿，似乎成為圖畫中人物的必然姿勢。這段時間，畢卡索常造訪羅浮宮裡的古希臘、羅馬彫塑展示室。好像在他以立體派取代古典美感前，還要顯露一下，他對這些規範研習得有多熟巧。

在〈牽馬的少年〉（第24頁）圖中，畢卡索就展現他對古典美的知識。什麼還會比用一個少年來做此表現更為恰當的？他當然必須全裸，才能顯現身體比例的均衡。人物和周遭的關係也不再是錯亂的；人與自然關係合諧。這在用色上便顯現出來，它連結所有的圖畫元素，而沒有脫離東西本身的真實色彩。人與動物同時行動，他們的腳步及頭的方向，使彼此產生關聯，只是缺了產生直接聯繫的馬韁。因此圖畫裡的動作缺乏依據，因為它只有透過明確的行為才得以了解。然而由於動作合諧，優雅和古典的比例，想像便取而代之的聯繫人與自然的關係。這就如古代彫像，當最重要的部分斷了，遺失了，人們就只有欣賞它的美。

從1906年所畫的圖，清楚顯示，畢卡索常到羅浮宮。〈梳妝〉（第27頁）畫的是，慧蘭梳她那頭黃棕色的頭髮，屬於一張具個人隱私的畫作，但很不同於一般的閨房景像。在當時，慧蘭是畢卡索的愛神，是他認為的女性美化身，是他擁有的維納斯。而這簡直就像把古代維納斯彫像慣有的表現形式，轉移到自己的美神上，結果產生一尊有血肉之軀的塑像，讓人隔著距離一邊讚歎她的美，一邊撩起情絲。一切看起來那麼自然，兩腿前後分立，雙手舉

雜耍者（賣藝人家），1905
Les Bateleurs (Famille de saltimbanques)
畫布、油彩，212.8 x 229.6 公分
華盛頓，國家畫廊

「饑餓、災難、觀眾不解，都很令人難受，但聲譽最糟糕。這是上帝給藝術家的懲罰。很可悲，但卻是事實。

成功很重要。人們常說，藝術家應只為『喜愛藝術』而做，而不追求成功。這是錯的！藝術家需要成功。不只是為了生活，也為了能繼續創作。即使一個有錢的藝術家，也需要成功。只有少數人了解藝術。對繪畫的感覺，不是每人與生俱有的。大多數人以成功與否來評斷藝術。為什麼只有『成功的畫家』可以成功？每個時代都有成功的人物，但誰規定，就只有那些諂媚觀眾的可以成功？我要證明，我毫不妥協，但還是可以成功。您知道嗎？當我是個年輕畫家時，成功曾是我的保護牆。藍色和粉紅時期像屏風一樣，在它後面，我很安心⋯」

畢卡索

向頭上，頭也優雅地傾向鏡子 —— 但一切不過是以古典方式安排出的美。這其實才是該畫的真正內容。它不是為了美本身，而是為了演出所謂的美。慧蘭打扮的目的，在使原本就極撩人的吸引力，由於正確的佈局，而更令人難以抗拒。她對鏡梳妝，在鏡中看著自己安排自己的美，一如畢卡索畫中表現她完整的美麗。他把畫放在慧蘭面前，就如畫中女侍，恭謹的把鏡子端在她面前。

他對古典題裁的探索在此時達到極點。畢卡索令人印象紳刻地，展現他對古代的知識，並表現出，如何應用這個遺產。此外，他也証明了，各種繪畫技術的要求，對他乃輕而易舉的事。那麼，下一步便是去質疑這個傳統了。畢卡索不只以立體派小心翼翼地宣告對傳統的懷疑，他根本是在革繪畫的命。立體派使西方繪畫多少持續的發展，面臨了終點。

藍色時期那毫不隱藏的激情，粉紅時期那諂媚似的美感及憂傷，在立體派繪畫裡絕對無法延續。直到立體派之後，畢卡索才又回到過去的形式裡。但他不再以古代彫塑為其典範，而是仿效古典繪畫。

梳妝，1906
La toilette
畫布、油彩，151 x 99 公分
水牛城（紐約州），愛爾布萊特 —— 克諾斯畫廊 (Albright-Knox Art Gallery)

# 素描家和版畫家畢卡索

和老需要模仿的繪畫相反，「只有線條素描不模仿」。畢卡索在 1933 年秋，與他多年的畫商老友丹尼爾・歐立・康懷勒 (Daniel-Henry Kahnweiler)，談到把藝術想像以圖像轉達出來的能力時，給予素描極高的評價。另一段話，也能讓我們進一步了解畢卡索的藝術觀：「重要不在於藝術家做了什麼，而在於他是什麼樣的人。」而我們可以接著他的話說，藝術家是什麼樣的人，只有透過不受阻礙的源始即興表現出來。

畢卡索童年的素描，線條就表現得相當明確有力，速寫也極傳神。九歲時，他就能以一條簡潔有力的線勾勒出，在競技場上鬥陣中牛的背脊；以急促的鉛筆線條，表現觀賞鬥牛的女士之陽傘；一顆顆的頭顱化成一糰糰小線圈；以大膽的八字形弧線，代表圖中次要的人群。

1894/95 年，畢卡索以 P・路易茲 (P. Ruiz) 簽名的一張圖（第 28 頁中），以光影完美臨摹一個石膏人體軀幹。他以碳

人體石膏像素描，1894/95
Etude d'un torse, d'après un plâtre
碳筆，49 x 31.5 公分
巴黎，畢卡索美術館

母親的姓 —— 畢卡索簽名。畢卡索以一張幾乎已達畢業作品水準的男人立像素描，獲准進入巴塞隆納藝術學院，並越兩級就讀。

1897 年 10 月，他以一張短時間完成的畫，獲准進入馬德里皇家藝術學院的高級班。一個月後他寫信給友人道：「我不要跟隨已定型的流派，這只會養出一批依樣畫葫蘆的跟班。」又一個月後，1897 年 12 月，畢卡索離開了學校。從 1895 到 1900 年間，年輕畢卡索畫的一些風景、肖相素描，甚至為巴塞隆納他喜愛的「四隻貓」咖啡館所畫的菜單，都顯示出他細膩的觀察能力，以及落落大方的簡潔手法。畢卡索的興趣不在於以自然主義似的一筆一劃「正確」描繪，或再現眼前所見的表象，而是反映他個人對所選客體的想像，以似乎不費吹灰之力的方式，用鉛筆、碳筆、墨水、或鋼筆畫下。

從畢卡索的草圖本裡，最容易了解到他的工作方式。他不斷重覆相同題

坐與站的裸女，1906
Femmes nue assise et femme nue debout
碳筆，61.2 x 46.4 公分
費城，費城美術館 (Philadelphia Museum of Art)

簡省的一餐，1904
Le repas frugal
蝕版，46.5 x 37.6 公分
紐約，現代美術館

筆作畫，在表現肌肉曲線的地方，輕輕把碳筆磨進紙的粗糙顆粒裡，讓人不僅從紙上看到彷彿也觸摸到石膏微損的表面。這不是一個理想化的男人軀體，而是一個一面受到陽光照射的石頭人像石膏模型。而檯座簡單的輪廓線也輔助說明了這一點。

這些具學院味的作品，使畢卡索在藝術學校頗受老師欣賞。從學院觀點來說，它們很完美，但卻只給藝術家畢卡索很窄的發展空間。這些作品尤其令畢卡索的父親唐・荷塞・路易茲・布拉斯哥 —— 一個敦厚的藝術老師滿意，而在 1894 年把自己的調色盤給了這年僅十三歲的兒子，並且令人錯愕地決定不再畫畫。從這時開始，帕布羅・路易茲改以

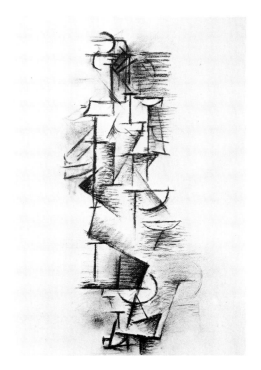

站立的裸女，1910
Femme nue debout
碳筆，48.5 x 31 公分
紐約，大都會美術館 (Metropolitan Museum of Art)

窗邊的彫塑家和模特兒，以及歪倒的頭部彫像，
1933
Sculpteur et modèle à la fenêtre avec tête sculptée renversée
蝕版，36.7 x 29.8 公分
佛拉系列版畫 (Suite Vollard) 第 69 號

彫塑家，檯座上旋轉的頭部彫像，和坐著的模特兒，約 1933
Sculpteur faisant tourner sur son socle une tête sculptée, le modèle étant assis
蝕版，26.7 x 19.4 公分
佛拉系列版畫第 38 號

裁，雖然每張畫有時改變很小，但目的不在於「修正」原本的畫法，而是開發該題裁的各種可能性。因此對畢卡索來說，一個題裁沒有所謂最後完成的表現。當我們看同一題裁的不同變化時，會覺得它們就如一件獨立的作品，而彼此的關係，就如同一物體映照在菱鏡的不同面上。

在畢卡索藝術及技巧能力上，除了素描、繪畫、彫塑外，版畫也佔有一獨特的位置。由於有著名版畫家指導凹版印刷，畢卡索在 1904 年做第二張蝕版畫〈簡省的一餐〉（第 28 頁左）時，便懂得善用這個媒介：以冷硬筆法勾勒出的銳利輪廓，以及畫中濃密的陰影線，他藍色時期這最後一張作品，把前面繪畫裡的憂鬱沈悶氣氛，提升為一種冷酷無情的寫實風格。

不久，在巴黎及加泰隆納 (Catalognia) 的郭索爾鎮 (Gosol) —— 畢卡索和他的伴侶慧蘭 1906 年夏便在此渡過 —— 出現了粉紅時期漂亮的膠彩及水彩畫。以馬戲班及女性裸體為題裁的畫，濃密線條把輪廓修飾得更柔順有彈性，使人物幾乎具有一種「古典的」優

雅。畢卡索的風格總似乎不斷地變化：碳筆畫〈坐與站的裸女〉（第 28 頁右）繪於 1906 年，當時他準備畫一幅以表現

臉（瑪莉．泰瑞莎．瓦特？），約 1928
Visage (Marie-Thérèse Walter?)
石版，20.4 x 14.2 公分

圓滾身軀的豐碩體感為重點之大油畫。若把這張碳筆畫和一張 1911 年分析性立體派時期，以相同技術所畫的女性裸體（第 29 頁左）相比較，就能清楚看到畢卡索作品裡，不管是經驗、想像力、圖象表達能力，都極為豐富廣闊。

畢卡索共有兩千多張版畫作品，以不同技術完成。在凸版方面，他少用木刻，橡膠版則是年紀大時才發明，因而他大多用凹版和平版裡的蝕版和石版來做。這兩種技術似乎較能表現畢卡索素描所追求的源始即興，也較符合他那躁急的工作方式。

畢卡索總不斷在尋找新的技術表達圖像意念。因此他常用版畫裡的混合技術，例如以蝕刻加刮刀，或蝕刻加細點蝕刻法 (Aquatinta)。而他版畫作品裡有一項特別的技術是，用已不常見的糖水破裂法，亦即以墨汁和糖水畫在版上，然後塗上一層瀝青漆，之後把版置於水中，糖溶解後，就會使表層破裂剝落。1936 年以細點蝕刻法加蝕刻的〈剝女人衣服的森林之神〉（第 31 頁左上），即此法產生的傑出作品。畢卡索有一百張蝕版作品，製作於 1930 至 1937 年，叫

與米諾陶洛斯搏鬥，1935
Minotauromachie
蝕刻及刮刀，49.5 x 69.7 公分
巴黎，畢卡索美術館

米諾陶洛斯與裸女，1933
Minotaure et femme nue
藍紙、墨水，47 x 62 公分
芝加哥，芝加哥美術館 (Art Institute of Chicago)

《佛拉系列版畫》（第 29 頁上中與右上）—— 以出版者，畢卡索的朋友及畫商翁布拉斯‧佛拉 (Ambroise Vollard，第 31 頁上中) 為名，為其版畫藝術的精典。其中畢卡索常處理的〈彫塑家工作室〉題材，佔最多數量，有四十六張。它們以沈靜、明朗的氣氛，呈現彫塑家和模特兒的不同面貌，刻畫出畢卡索一生中幸福階段，在寧靜的波傑魯別墅 (Boisgeloup)，得以全心於彫塑上。正如早期的素描，這裡畢卡索幾乎也只用柔和的輪廓線勾勒，而蝕版的優點又使優雅的身軀曲線，不需其它線條輔助，就從輪廓裡顯露出來。

《佛拉系列版畫》中有五張以〈擁抱〉為題，棄傳統的線條而改採極具戲劇性和動感的筆觸。題裁和風格上，它們類似 1933 年大膽且大尺寸的水墨畫作〈米諾陶洛斯與裸女〉（第 30 頁下），這幅畫的動感及身體的量感表現都非常的巴洛克式。

米諾陶洛斯 (Minotauros)，這神話中牛首人身的怪獸，在畢卡索三○年代素描及版畫裡，越來越具重要地位。有時牠以獸性戰勝；有時牠在彫塑家工作室裡一起縱情狂歡；有時牠傷痕累累地臥倒競技場上；有時笨拙地撫弄恬睡的美女。1935 年的〈與米諾陶洛斯搏鬥〉（第 30 頁上），肯定是畢卡索最重要的版畫，及二十世紀最重要的作品之一。這張畫作中，令人心生憐憫，無助四處摸索，瞎眼的米諾陶洛斯，由一個拿著燭火的小女孩牽引，走出黑暗。圖畫中央，女孩及米諾陶洛斯之間，一匹驚懼嘶叫的馬，身體裂開處，連五臟都跑了出來。牠的背上扛著一個袒胸露乳，重傷瀕亡的女鬥牛士。左邊一個留鬍鬚，耶穌般的人爬上梯子。古代傳說、鬥牛世界，及基督教的聯想，在這裡交織成一個隱喻，成功地誘使人想去找尋它的意義。

《女鬥牛士之死》這個題裁，以前畢卡索就在不同的素描、蝕版、繪畫裡處理過。1934 年的一張蝕版作品，特別描繪女鬥牛士被牡牛強暴的景象。在同為 1934 年的一件木板上之水墨畫，有一題裁也被用在〈與米諾陶洛斯搏鬥〉裡：一隻牡牛以嘴把一隻負傷的馬內臟拉出。競技場邊，一個女人舉著臘燭走向這隻牡牛。由於某些議題和題裁上的類似，〈與米諾陶洛斯搏鬥〉這件蝕版作品，常被拿來和〈格爾尼卡〉（第 68/69 頁）這張巨幅畫作比較，它是畢卡索

剝女人衣服的森林之神，1936
Faune dévoilant une femme
蝕刻及細點蝕刻，31.6 x 41.7 公分
紐約，現代美術館

畫商翁布拉斯・佛拉，約 1937
Portrait du marchand de tableaux Ambroise Vollard
銅版、糖水蝕刻、瀝青漆，34.8 x 24.7 公分

兩個加泰隆納的酒客，約 1933
Deux buveurs catalans
蝕版，23.7 x 29.7 公分
佛拉系列版畫第 12 號

於 1937 年，以強烈方式表達對佛朗哥政權和戰爭殘酷的抗議。

畢卡索在許多作品中，表達對戰爭暴行的唾棄。1937年的蝕刻版畫〈佛朗哥的夢與謊言〉，以一種漫畫式、憤慨嘲弄的連續圖畫，表現被卡通醜化的佛朗哥，如何破壞正義、人性和文化。蝕版的最後四個畫面和〈格爾尼卡〉草圖有關。在同一年，畢卡索寫道：「抱持人文價值的信念工作、生活的藝術家們，在文化和人性最高價值面臨危險衝突時，不應以無所謂的態度面對。」畢卡索最為人知的石刻版畫〈和平鴿〉，點綴著 1949 年巴黎和會的海報（第 64頁）。如果說畢卡索版畫作品，許久以來主要以蝕刻結合其它技術的話，那麼在早期一些個別嘗試如 1928 年的〈臉〉（第 29 頁下）後，1945 年開始，石版已漸取而代之，在他創作中佔重要地位。那年他很快地製作約三十幅作品，接著

五年又作了約兩百幅，到 1962 年總共創作了三百五十幅石版畫。他致力研究這個技術，以至於到 1948 年將近三年中，完全放棄了蝕版。

正如素描的情況，在石版畫裡，畢卡索也沒有固定的表現方式。當他在石版畫家慕洛 (Mourlot) 位於巴黎的工作室時，會要求作一些不同的〈圖畫變形〉嘗試。以這種方式，他遊戲性的發展出

一種優越技巧，使他得以自由選擇所需的表現工具。畢卡索以石版處理過一切傳統題裁，但在這兒，他主要興趣在於：肖相、靜物、個別形體和動物。

1945 年的〈牡牛〉（第 31 頁左下）石版畫，便是他以此技術所發展出，具高度藝術性的例子。〈牡牛〉共印製了十一種不同變化，圖形不斷抽離到只剩輪廓。

畢卡索又研得一項新技術。1959年，他首度製作彩色的橡膠版畫（第 31頁右下），還做到以七個版來套印。儘管後來他把處理方式簡化為一個版，多次剪裁，套上不同色彩印，但畢卡索的膠版畫，還是因其多樣的線、面、造形變化，而成為二十世紀版畫裡的精典名作。

帕洛瑪・畢卡索，1952/53
Paloma Picasso
墨水，65.5 x 50.5 公分

牡牛，1945
Le taureau
石版，29 x 41 公分
巴黎，班納・畢卡索 (Bernard Picasso) 收藏

草地上早餐，1962
Le déjeuner sur l'herbe
橡膠版，53 x 64 公分

# 立體派
# 1907 – 1917

「藝術是個謊言。」說這句話的，自己就是個藝術家：畢卡索。但古羅馬作家普里尼烏斯 (Plinius) 早與他有同感，為了證明畫家宙希斯 (Zeuxis) 的功力，他提到一則傳說，畫家把葡萄畫得極為逼真，連鳥都要飛來吃。謊言，創造的真實，發揮作用，使想像與真實被混淆，真鳥要吃畫出來的葡萄。因此，藝術真是個謊言——但反過來說，這個謊言也是個難以達成的藝術。

畢卡索當然從未想過把真實模仿得維妙維肖。印象派及其後繼者已在破壞這百年的歷史教條，但直到畢卡索發明立體派，才把傳承徹底摧毀。從單一中心呈現對象物的透視圖法，被多角度的觀看方式取代。過去以真實為依據的幾何構圖，擴展為一種從圖畫自身發展出的自主結構；圖畫空間那原本可以追溯的光源，也改變為，每個圖畫元素各有不同的明暗分佈。

如果再回想一下立體派前的粉紅時期，就會清楚發現畢卡索作品的差異，以及他對西方藝術的反叛有多大。那是一種新的感知真實的方式，一種發現真理的新方法，使得打破規範成為可能。而這又來自他對自我認知的改變，我們只要比較兩張畢卡索的自畫像，便可看到這種變化。〈拿著調色板的自畫像〉（第 2 頁）畫於 1906 年秋。立體派就要出現了，而我們從圖畫裡還看不出一點端倪。握著調色板的姆指，透露出畫所屬的階段。它既是手指，也是色塊，既是畫家的一部份，也是繪畫的一部份，屬於粉紅時期。只有臉變得有如面具一般，顎下或臉頰上的陰影，結束得很突然。線條在圖畫結構上，變得較為重要，而這預示了即將到來的轉變。

水庫，合爾塔・得・艾布洛，1909
Le réservoir, Horta de Ebro
畫布、油彩，60.3 x 50.1 公分
紐約，私人收藏

自畫像，1907
Autoportrait
畫布、油彩，50 x 46 公分
布拉格，國立畫廊 (Narodni Galerie)

左圖：
女人（〈亞維農姑娘〉習作），1907
Femme (étude pour Les Demoiselles d'Avignon)
畫布、油彩，118 x 93 公分
巴塞爾，拜爾勒 (Beyeler) 收藏

上圖：
亞維農姑娘，1907
Les Demoiselles d'Avignon
畫布、油彩，243.9 x 233.7 公分
紐約，現代美術館

不久後，1907 年春的〈自畫像〉（第 32 頁），線條成為主要的造型媒介，寬而快的筆觸，勾勒出臉部特徵，同時也劃分與畫面其它部份界限，這些部份只填滿了色彩，而沒有造形，許多地方甚至留白。這時，畢卡索也開始為〈亞維農姑娘〉打習作稿。但畢卡索不只是表現形式改變，連自我觀照的方式也轉變了。兩張自畫像相距時間不過幾個月，但一張畫的是年輕，另一張則是成熟的畢卡索。

在一張有關〈亞維農姑娘〉習作上（第 34 頁），圖畫的下半沒有畫完。從這裡我們可以看到畢卡索的工作方式：他先以快速筆觸勾勒輪廓，然後在產生的塊面上填入鮮艷色彩，最後再以黑色描一次角狀的輪廓。他畫完一筆便提筆，再下筆，身體和頭因而被切成有如一塊塊的稜角狀。畢卡索畫中，手舉向頭後的裸女，借自尚‧奧古斯特‧多米尼加‧安格爾 (Jean Auguste Dominique Ingres) 的〈土耳其浴〉，安格爾最善於描繪女體的柔和曲線和豐滿的形狀。

這個習作，在〈亞維農姑娘〉（第 35 頁）最後定稿裡，便是出現在圖畫中央的女人。但和安格爾那充滿官能、情色，熱氣騰騰之浴形成極大對比。她那撩人的姿勢，因畸形手臂、尖狀手肘、有如楔形肉團的頭，效果適得其反。她和左鄰女人 —— 那暖調的單色畫甚至又使人想起粉紅時期 —— 和其他那些頭部畸形，身體「有如由斧頭劈出」的女體相較，還算是美的了。圖右前方的女人，撐著頭的手，不知是怎麼做出來的；身體和頭形狀完全不同，背和臉又可同時看到，眼和嘴的四周也完全不合自然法則。在她後面，另一個女人進到空間，藍色布簾推到一旁。她的頭被醜化如狗，臉被綠、紅線條切分，身體又被剁成不相屬的角塊。最後，第五個女人，在圖左邊緣，沒有動作，臉僵如面具。

每個人像由完全不同的成份組成，人體之間用的也是對立的造形法則。她們都被激進的幾何化，一方面強使自然比例遵循其法則，而將之隨意變形，另一方面又和同樣被切成四分五裂的背景緊密結合；圖畫空間因而顯得被壓縮在一起。身體缺少光影的塑造，在一張圖裡，結合多元視點的作法，反而使空間變得更為模糊。

畢卡索想要同時摧毀一切，而女性美的神話在這裡只是末詳。他不僅反抗人們對於他這個畫家的想像，而且以這張畫，反抗從早期文藝復興至今的西方藝術。這張畫當然不是憑空而創的。畢卡索之前曾看過伊比利亞半島 (Iberia) 和非洲彫塑。它們本身蘊含的原

見第 38 頁
**翁布拉斯‧佛拉畫像**，1910
Portrait d'Ambroise Vollard
畫布、油彩，92 x 65 公分
莫斯科，普希金美術館 (Pushkin Museum)

見第 39 頁
**女人與梨子（慧蘭）**，1909
Femme aux poires (Fernande)
畫布、油彩，92 x 73.1 公分
私人收藏

「在〈亞維農姑娘〉圖中，我把一隻鼻子的側寫畫在正面的臉上。而我不得不把它畫成側面的形狀，以能表現這是個鼻子。因此，人們會提到黑人藝術。您可曾見過一個黑人彫塑在正面的面具上，有個側面的鼻子？」

畢卡索

**桌上的水果盤和麵包**，1909
Compotier aux fruits et pains sur une table
畫布、油彩，164 x 132.5 公分
巴塞爾，巴塞爾美術館 ( Kunstmuseum Basel)

頭，1909
Tête
鋼筆畫，63.5 x 47 公分
巴黎，私人收藏

「如果我要畫一隻碗，當然我會把它畫成圓的。但整體圖畫節奏，構圖結構，會迫使我把圓的畫成方的。也許我根本是個沒有風格的畫家。所謂的「風格」只會把畫家固定在一種觀看方式上。年復一年，甚至終其一生，用同一種技術，同一種表現方式。人們可以立刻認出來，但總是同一套衣服，或同一款式。當然有的偉大畫家具有風格。而我卻狂野地四處晃蕩，漂來漂去。當你看到我在這裡時，我已又變到另一個地方。我從來不固定，因此沒有風格。」

畢卡索

「我常把報紙用在我的紙貼畫裡，但不是用它來做報紙。」

畢卡索

古形式，促使他把自然形式簡化、幾何化，最後再激進地予以解構。

在畢卡索之前，就有藝術家對「原始」藝術感興趣，但沒有像他這般表露無疑的。歐立‧馬帝斯 (Henri Matisse) 和安德烈‧德安 (André Derain) 在「獨立沙龍展」展出裸體畫，頗激發了這位年輕西班牙人的野心。然而他們對這張畫卻一致瞠目結舌。連阿波里奈爾這位已成為畢卡索的崇拜者，以及才剛認識的喬治‧布拉克 (Georges Braque)，一開始都排斥這張不知所然的畫作。他們認為，他掉入一種「可怕的孤寂裡」，像德安甚至擔心，也許哪天他會在畫布後上吊。然而這些同志們的口頭攻擊很快就平息，不久也轉而在作品中運用這新的原則。於是，立體派誕生了。

畢卡索開始有了同伴。其中尤其是布拉克，和他一起競逐發展這新的繪畫。在藝術的敵對中，他們發展了友誼。接著多年裡，他們一起探索立體派的可能性。首先，他們在 1908 年夏到鄉下去，回來時卻發現，兩人各自獨立發展的畫作，竟驚人地相像。

〈桌上的水果盤和麵包〉（第 36 頁），這張畫仍遵椒早期雄渾立體派時期之原則。在折下的桌面與綠色窗簾間，精簡的靜物就分佈在有限的圖畫空間裡。被切過的麵包正好和半圓形桌面形成呼應，一個水果盤，一個倒放的杯子，幾樣不同的水果，都是日敘的東西，然它們的共同點是：這些自然物都遵循幾何的基本形式。畢卡索因而一方面滿足塞尚所要求的，簡化為圓、橢圓、方形等形式，另一方面，他又借檸檬、梨子，詳盡解說他對圖畫空間的新觀念。圖畫空間不再以中心透視法統一，而是從不同角度再現各物體。因此雖然我們可以看到水果盤的上方，但卻見不到杯子的底面。

1909 年春，畢卡索又回到與世隔絕的合爾塔‧得‧艾布洛，學生時代，他曾在此歸隱一段時間，思考前途。這段期間，應是他生命中最富生產力的時期。他在這兒畫了慧蘭的肖像，〈女人與梨子〉（第 39 頁），標示分析性立體派新發展階段開始。現在，對原始彫塑的研究終獲成果。畢卡索從未對其人種學內涵感興趣，而喜歡探討外在形式，並發現它的要點在於，把一個個造型併排組合起來。依此觀察，圖畫中眼窩、鼻子、臉頰、嘴唇等，被當做隆起的元素，而把臉分成不同的區塊。多透視系統於是不再同時用在許多對象物上，而僅集中在單一客體上。

吉他，1913
Guitare
紙張、碳筆、鉛筆、墨水、拼貼，
66.3 x 49.5 公分
紐約，現代美術館

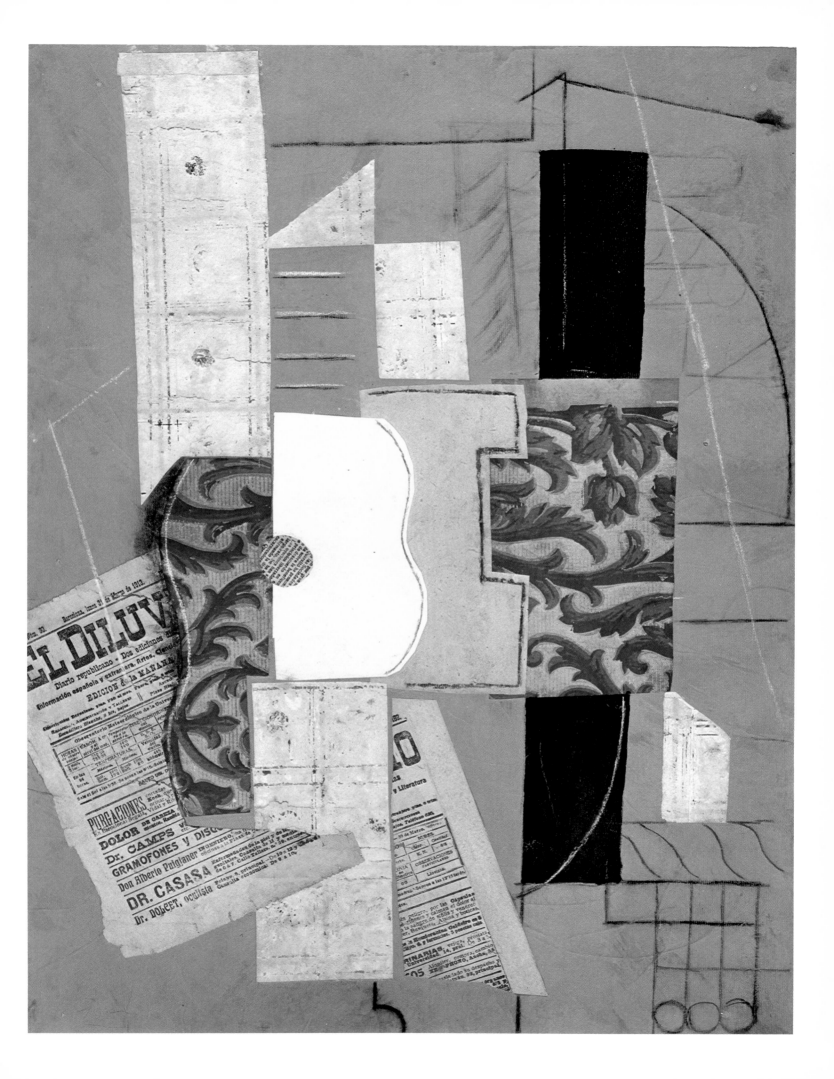

「立體派與其它畫派沒什麼不同，有相同的原則，相同的元素。立體派有很長一段時間不被了解，在今天還是有人看不出什麼來，但這無所謂。我不懂英文，因此，英文書對我就像一本空白書。但這不代表英文不存在。如果我自己不了解，也只能責怪自己，怎可以就此怪罪別人？」

畢卡索

煙斗、Bass 瓶、骰子，1914
Pipe, bouteille de Bass, dé
畫紙、紙張拼貼、碳筆，24 x 32 公分
巴塞爾，拜爾勒畫廊

把幾何用在杯子之類簡單的物體上，本意在呈現其典型形式，讓人得以辨認，但用在人上，效果卻相反。肖像畫向來必須再現個人臉部特徵，然越來越幾何化的表現，形式會趨於統一，兩者顯然彼此矛盾。儘管如此，畢卡索當時作品使這兩個方向：自然主義和抽象，參照真實和維持藝術自主，得以保持平衡。這兩極從不單獨出現。畢卡索不畫純粹自然寫實的繪畫，也不畫純粹抽象的。然在立體派時期，他終於面臨轉折點。之前，他的畫以自然主義為重，現在，抽象將成主導。

畢卡索畫的畫商翁布拉斯·佛拉肖像（第 38 頁），就只剩幾何性的速寫供人辨識畫中人。輪廓被幾何形式給模糊化了，也操控了僅存的一點寫實片斷。線條具有雙重意涵。它們一方面是自主幾何圖形之一部份，但也可被解讀為西裝的翻領，上衣口袋裡的手帕，或手臂。整個圖畫空間有如平坦的浮彫，原本凸出的隆起被燙平，不再是角狀的立體一個個緊鄰排列，而小塊面之間的過渡也更平順。整個畫面有如佈滿了稜形。

吉他靜物，1922
Nature morte à la guitare
畫布、油彩，83 x 102.5 公分
琉森，羅森加特收藏

彈吉他的小丑，1916
Arlequin jouant de la guitare
鉛筆或碳筆，31 x 23 公分

「立體派固守在繪畫的疆界和侷限裡，從來沒有說要超越。立體派對素描、構圖和色彩的了解與運用，也和其他畫派一樣。我們的題裁或許不同，因為我們把以前不重視的物體與造型帶進繪畫裡。我們張大眼睛，也敞開心胸，觀看我們的世界。

我們盡我們所能看到的，賦予形與色彩自身的意義；在題裁裡，我們保有發現新事物、新感受所帶來的喜悅；題裁必須是樂趣的來源。何必多談我們的藝術？想看的人都可以來看！」

畢卡索

接下來幾年，圖像被分解得越來越廣朗。畢卡索現在主要畫的靜物畫，題裁來自工作室裡，他選擇造形原本就是幾何形，而且為觀者所熟悉的。因此，儘管比例扭曲，形樣被分解，但仍可讓人辨識出。這種自由取用碎片作法，為通往紙貼畫 (papier collé) 拼貼之路的先導。在〈吉他〉（第 41 頁）圖中，壁紙碎片、報紙及色紙，被當作事先加工過的裝飾性碎片，貼在畫布上，再以碳筆、鉛筆、墨水畫於其上。這裡，圖像一方面被解體，另一方面又藉現實碎片予以重現。因此，兩個圖像系統彼此競爭，印刷的紙，一方面指涉現實裡的報紙，另方面又表示吉他的共鳴箱。物體由於其典型特徵而被表出。共鳴箱的肚腹外形、有絲絃的吉他頸及上的金屬頭柱格，這些寫實的殘餘成份，足可避免讓圖畫變得全然抽象。

在〈煙斗、Bass 瓶、骰子〉（第 42 頁）拼貼裡，除了一般物件外，圖右還出現了一顆骰子。立方體通常頂多只能看到三個面，但畢卡索為它加了第四個，黑色的，擺在其旁，好似要呈現人們見不到的另一面。不只這樣，通敘相對兩面的數字合為七，但畢卡索卻把三和四擺在相鄰兩邊，同時可見正、反兩面。在這立體派的隨想曲裡，似乎蘊含有對以彫塑優於繪畫，因為它可以呈現物體的每個面相，這個典型爭論的反駁。

1922 年的〈吉他靜物〉（第 43 頁）已屬後來的風格時期，但它以繪畫模仿早期拼貼作法，因而有如遲來的立體派輓歌。

然而綜合性立體派發展的高峰，不是出現在安裝了現實廢棄物的拼貼作品裡，而是在畢卡索的繪畫裡，把不同色面，如剪下的紙片般，併在一起。1915 年畫的〈小丑〉（第 45 頁），一個舊時喜愛的題裁，五彩色面浮游在環伺的黑色底面上。在裁剪邊緣時，他小心避免畫中物與邊緣因接觸而顯得聯結在一起。這個歡笑製造者之所以讓人認得出，不是因為在抽象型式裡，還保有一絲寫實，而是他那典型的菱形服裝，在真實裡，也是抽象的。

小丑，1915
Arlequin
畫布、油彩，183.5 x 105.1 公分
紐約，現代美術館

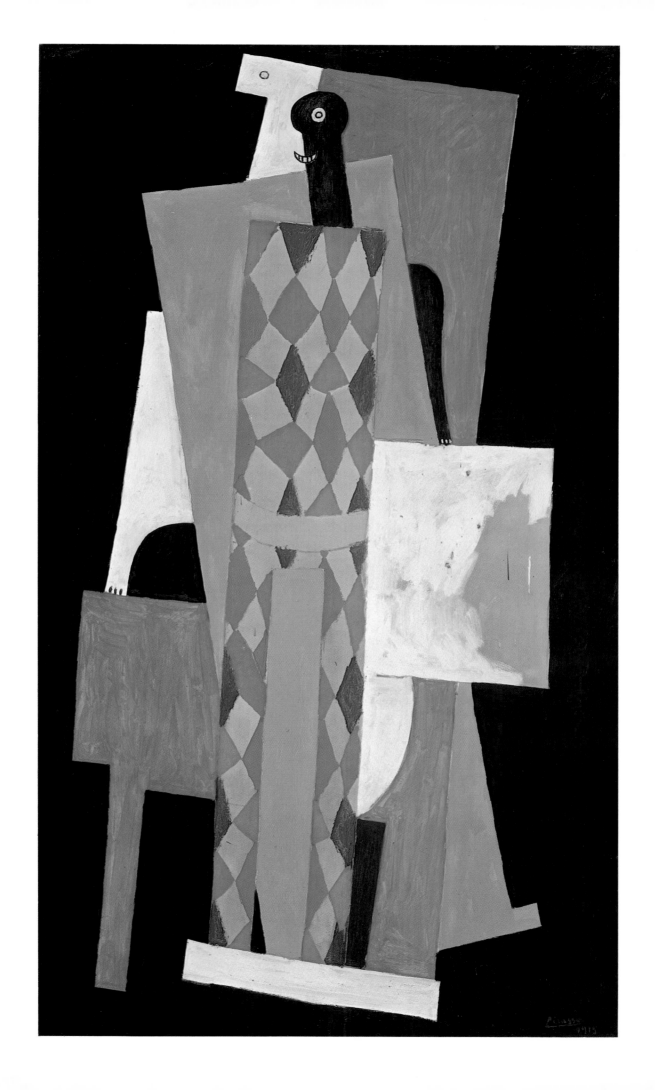

# 雕塑家畢卡索

任何時期畢卡索的彫塑作品，都無法歸類或侷限在某個特定的風格形式裡。正如在繪畫、素描裡一樣，他時而多變、時而率性而為，有時什麼也不做。事實上，他毋寧是對不同的藝術問題感興趣，而且試著去尋找不同的表現方式與技術。

年輕時候，畢卡索只認為自己是個畫家、素描家。他第一個為人所知的彫塑，作於 1902 年。那是一件坐著的女人，表面處理和結構，都與偉大的羅丹(Rodin) 彫塑近似，表現出他藍色時期的

女人頭像（慧蘭），1909
Tête de femme (Fernande)
銅，40.5 x 23 x 26 公分

深沈憂鬱。和早期其他幾件彫塑一樣，之所以會為人所知，常都是因為畢卡索鬧窮，於是把以前用粘土塑的像，全部賣給畫商佛拉，而佛拉把它們拿去翻銅。

畢卡索在 1906/07 年的彫塑，大體都是粗糙、簡單劈砍出來的女體木刻，反映出他對非洲彫塑的興趣，而這不久也強烈反映在繪畫裡，於是後來被稱為「黑人」時期。這時，畢卡索也開始收藏他那重要的非洲彫塑，到處塞滿了工作室。

緊接著的「分析性」立體派時期，很早就表現於 1909 年作的〈女人頭像〉（第 46 頁左）著名彫塑裡，該作可以拿來和同時完成的〈女人與梨子〉（第 39 頁）—— 他的伴侶慧蘭‧歐麗薇葉肖像做比較。這件作品讓我們清楚看到，畢卡索想把二度空間畫面所發展的表現形式，轉到三度空間的彫塑，會有多大的困難。他把立體派分析法移用到彫塑上，把表面處理成一個個小塊面，但顯然還是無法把頭部造形的內在結構分解掉。然而畢卡索這件作品帶給彫塑重要的衝擊。他對立體派的興趣，在這次經驗後，又回到到繪畫、素描和版畫上。

畢卡索後來之所以再度回到彫塑，直接原因是，發明了拼貼。把紙貼在畫面上，就已跨越了圖畫嚴守的二度空間，如此必然的結果便是，當應用其它材料（紙箱、鐵皮、木頭、繩子或鐵絲）時，浮彫性格就越來越強烈，尤其有些圖畫局部可以翻折出來，更加強了這種趨向。

這個發展的開始是系列的〈構成〉—— 以紙箱、鐵皮、鐵絲、上色的木頭或上色、彎折的鐵片作成的樂器作品，1915 年的〈構成：小提琴〉（第 46 頁右）就是個例子。它們越來越突出平面，打破結構，經不同發展階段，最後成為能站立的〈小提琴和桌上的瓶子〉—— 一件在 1915/16 年，以塗色的木板、鐵釘、線所作的作品。畢卡索這項發

構成：小提琴，1915
Construction: Violon
剪裁、彎折、塗色的鐵片和鐵絲，
100 x 63.7 x 18 公分
巴黎，畢卡索美術館

明，便是二十世紀彫塑革新的開始。如果說傳統彫塑技術是，以粘土去「堆塑」，或以木、石頭去「彫鑿」，那麼現在多樣的結構性立體構成作品，則是把現成的元素組織起來。於是，「構成彫塑」為彫塑展開新的一頁。

畢卡索的樂器作品，從跨出平面的浮彫發展到能自立的彫塑，把「分析性」立體主義彫塑發展到極點。從 1916 年開始，約十年間，畢卡索只作版畫，沒有什麼彫塑。到了 1928 年，在畫了系列水墨畫後，才產生他第一件著名的鐵絲構成。那是畢卡索為紀念 1918 年去世的詩人、藝評家朋友 — 居雍姆‧阿波里拉爾而作的紀念碑模型。這件 1928 年作的〈鐵絲構成〉（第 47 頁左），畢卡索為紐約現代美術館完成的最後版本，相

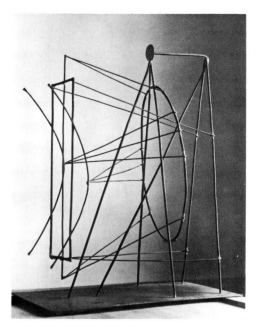

鐵絲構成（阿波里拉爾紀念碑模型），1928
Construction en fil métallique (projet pour un
monument à Apollinaire)
鐵絲，50.5 x 40.8 x 18.5 公分

女人頭像，1931
Tête de femme
銅，86 x 32 x 48.5 公分
巴黎，畢卡索美術館

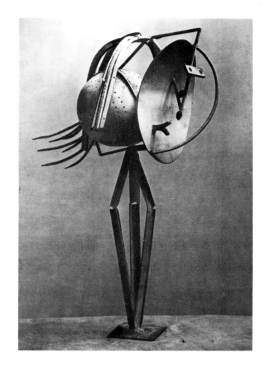

女人頭像，1931
Tête de femme
銅（原為塗白的鐵、鐵片、彈簧、及兩個篩水器）
100 x 37 x 59 公分

當壯觀，超過四公尺高。仔細去看會發現，這件由鋼條焊接出來的作品並非是全然抽象的構成，而是一個轉換為三度空間，以線條「素寫」表現的盪鞦韆的女人。小而圓的鐵片代表頭；下面的橢圓為身體；伸出的手臂抓著鞦韆的繩子，而腳則蹬著下面。盪在半空中的鞦韆，在昇與降之間，好像連時間也一起凝住了。

要了解這描繪空間，浮盪在時間中，沒有量感和重力感的彫塑作品，就要到阿波里拉爾的著作中尋找源頭。他的詩作《被謀殺的詩人》有一段描述逝去詩人侯尼亞曼塔 (Croniamantal) 的紀念碑，頗令人訝異。當彫塑家被問到，要作什麼樣的紀念碑，用什麼材料時，他回答道：「我要從無中為他塑像，就像詩和聲名一樣。」畢卡索對這「以無，以空作紀念碑」的想法非常喜愛。其實他這件紀念碑設計，比萬千頌詞更接近詩人的精神，但卻被紀念碑委員會以「太激進」而否絕了。不過，畢卡索這些涉及空間的透明彫塑，相反的，給予彫塑歷史重要的刺激，甚至啟發一些重要的彫塑家。

接著三年，畢卡索作了各種把金屬零件焊接起來的「透明」人像，等到買了波傑魯別墅（1930 年）後，他改以粘土、石膏塑像為主。而這正是以〈彫塑家工作室〉為題的精彩素描及版畫產生的時期。然而和這些素描典雅的古典氣息相反地，畢卡索這時的彫塑使人想起石器時代的人像，造型粗糙簡單，然這早就出現在他繪畫裡，而且一直到〈格爾尼卡〉（第 68/69 頁）都扮演著重要角色。

在波傑魯彫塑工作室裡完成的女體，有如以鬆垮的麵團搓出，巨大的頭，像由一些球狀體堆疊而成，放在長長的脖子上，鼻子更如隆起的肉團。1932 年的〈女人頭像〉（第 47 頁中），變形怪異，屬於四件頭像作品系列之一。其中第一件是當時伴侶瑪莉・泰瑞莎・瓦特 (Marie-Thérèse Walter) 的肖像，幾乎可稱得上古典優雅。但到了系列發展最後，則簡化到近乎怪誕，把人形揉成團塊般。但這只是對外表的描述。這件極為個人性的肖像，帶給人的豐富感受，不是口頭說得清楚的，得靠不帶偏見的觀者自己去感受。

在密集創作了一段時間彫塑後，畢卡索又停了一段時間。1943 年才又有由偶然找到的金屬零件，頗具巧思組合而成的作品，如〈開花的澆花器〉，或〈牛頭〉（第 48 頁上中）等。

畢卡索描述這些集合物產生的過程說：「一天，我在一堆廢物裡發現一個舊腳踏車墊，旁邊正好有個生鏽了的把手…

男人與羊，1944
L'Homme au mouton
銅，220 x 78 x 72 公分

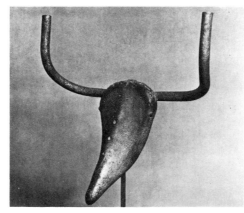

牛頭，1943
Tête de taureau
銅（原為腳踏車座墊及把手之組合）
33.5 x 43.5 x 19 公分

母　和寶寶，1951
La Guenon et son petit
銅（原為石膏、金屬、陶瓷和兩部玩具汽車）
53.3 x 33.7 x 52.7 公分

山羊，1950
Chèvre
作品在瓦洛西工作室近完成階段。原為石膏（由籬籃子、陶製花盆、金屬、木頭、紙板和石膏組合）
120.5 x 72 x 140 公分

這兩樣東西立即在我的想像裡連結起來…。於是牛頭構想在不經思慮下出現…我只不過把它們焊在一起罷了。青銅彫塑最妙的在於，可以把這些非常不同的東西統合起來，而使組合在一起的元素原貌無法辨識。但危險是：如果只當它是牛頭，而沒有注意到組成它的車墊和把手，彫塑就失去趣味。」

在作這些頗令人驚愕的集合物同時，畢卡索作了相當多的素描準備，並以全然不同的塑模技術，於 1944 年，作了他許多著名彫塑之一的〈男人與羊〉（第48頁左）。畢卡索自己說，這件兩公尺高的粘土彫塑，只連續花了兩個下午，時間不夠。該彫塑的金屬結構，放在工作室已兩個月，他都沒去動。然後，有一天，他忽然心血來潮，買了一堆粘土，開始塑像。工作中他才發現，彫塑會支撐不住。「由於土的重量，塑像開始晃動。相當可怕！隨時都可能倒下來。必須馬上想個辦法…於是我們把這個男人和羊，以繩繫在屋樑上。我立刻決定，下午馬上灌石膏。苦不堪言！真是難忘…原本我還要繼續作的…你看到嗎？他那又長又瘦的腳，腳掌只有模樣出來，還來不及作好。我本來希望好好弄，但來不及了。」

這又是畢卡索典型的工作方式：不是理性的思考如何達成一定的效果，而是即興地由當下的感受決定。然這裡我們看到畢卡索的偉大，他沒有因為腳部完成受阻而受影響。相反的，在德國佔領巴黎的險惡時期，朋友們都需躲避蓋世太保時，畢卡索以這巨形人像，建造人人都可理解的希望之紀念碑，並表達他對人性的信賴。

集合物 — 把現成、拾得的物件拼組成彫塑，直到晚年都一直是畢卡索不斷應用，充滿遊戲性、原創性的彫塑方法。1950 年，他開始進行比實物還大的〈女人與嬰兒車〉（第 49 頁下），把一些不同的金屬零件，嬰兒車的部份組件、蛋糕模子、一個烤盤，加上粘土，塑造成一件相當迷人的彫塑。

在〈女人與嬰兒車〉作品裡，畢卡索讓東西保有其原本不完整的特質，使彫塑看起來完全就是由這些物件組合而成，然而 1950 年的著名〈山羊〉作品（第48頁右），又是另一種手法。畢卡索當時的伴侶，法蘭絲娃·季洛 (Françoise Gilot) 說：「畢卡索先構想要作一隻山羊彫塑，然後才開始找可以運用的東西…。他每天到廢物堆裡找，而且在往工作室路上的垃圾桶裡翻。我推著舊嬰兒車走在一旁，然後他把看起來可用的廢棄物，往車裡丟。」

泳者，1956
Les baigneurs
照片呈現六件彫塑中的三件，展於《第二屆文件展》，卡塞爾，1959
銅，（原為木板），左起：
噴泉男人，228 x 88 x 77.5 公分
兩臂張開的女人，198 x 174 x 46 公分
年輕男子，176 x 65 x 46 公分

因而〈山羊〉完全由拾得的廢棄物組成，包括籐籃、棕樹葉、管子、花盆、陶瓷碎片等，但已不見其原貌，在熟巧的以石膏敷粘下，一隻寫實的山羊產生。以同樣方式也完成了〈母獅和寶寶〉（第 48 頁下），頭以兒子克勞德（Claude）的兩部玩具汽車車底相向粘成。

畢卡索晚期彫塑作品，處理的大多是平面性的東西，並在其表面塗色。在作上述的集合物時，1953年開始，他就以揀來的木板，處理後，釘成彫塑，例如〈泳者〉（第49頁上）作品群，這些作品在 1956 年改以銅灌製。這些人形作品比人還高，表現了晚期畢卡索作品的特點：一些他以紙或鐵片，或剪或彎或折，並漆上鮮艷色彩的形體，在六〇年代改以鋼或銅建造的巨形彫塑，高度超過了二〇公尺。

女人與嬰兒車，1950
Femme à la voiture d'enfant
銅，（原為陶土、蛋糕模、烤盤和嬰兒車之組合）
203 x 145 x 60 公分

# 二〇及三〇年代
## 1918–1936

「我正在寫的詩，很接近你現在的思考方式。我試著在古典範疇更新詩的風格。但另一方面我不喜歡倒退或模仿他人。」這段話是居雍姆‧阿波里奈爾在 1918 年寫給畢卡索的，顯示畫家轉向物象、冷性古典的形式語言，不只是他個人的喜好。詩人阿波里奈爾 —— 一個立體派時期的老同志，也有相同的轉變：藝術的更新與回歸傳統，兩者不必是對立的。

1917 年 2 月到 5 月，在義大利的旅行經驗，使畢卡索決定遠離那分析性，以解剖刀似目光看東西的立體主義。當時年輕詩人，尚‧科克多 (Jean Cocteau) 的芭蕾舞作〈校閱〉(Parade)，配上艾立克‧沙第 (Erik Satie) 的音樂，要在羅馬排練，而畢卡索幫忙設計舞台布幕。環繞塞格‧迪亞吉列夫 (Sergej Diaghilew) 那群人，即《俄羅斯芭蕾舞團》，那種快樂和輕鬆氣息，以及認識舞者奧嘉‧科克洛娃 (Olga Koklowa)，加上首都那多彩多姿的春天活動，使畢卡索 X 光似探照表層底下的作法受到影響。畢卡索重新學習去欣賞快樂的事情，人群的來去，每天的社交，以及對熟悉事物的信賴感，尤其還把這種氣氛的轉變表現在圖畫裡。

1919 年，畢卡索在巴黎畫的〈午睡〉（第 52 頁），還反映著在羅馬的時光。在那兒西班牙廣場階梯上，常有一大群穿著艷麗服裝的年輕人，等著讓觀光客、攝影師拍照，或當畫家的模特兒。畢卡索遵椒風俗畫作法，描繪這簡樸的寧靜快樂，呈現這對私密情侶而略開他們的困難。女農的獻身姿勢，男農靠向她的保護動作，描述著男女間單純的幸福。兩個人看起來有如彫像，雖然平凡，或著

「我無法忍受那些談美的人。什麼是美？在繪畫裡，該談的是問題！圖畫不過是種研究與實驗。我從來不把一幅畫當藝術作品來畫。一切都是研究而已。我不斷地研究，在不斷地探索裡，便含有必然的發展。因而我為畫標上號碼和日期。也許有一天，有人會感激我這麼做。

畫畫是件智性的事情。我們從馬內的例子就可看到。馬內的每一筆畫，都可讓人看到他的智性。而智性的運作，我們也可從關於馬帝斯的影片裡見到，看馬帝斯如何畫，如何停筆考慮，然後以明確筆法畫出他的想法。」

畢卡索

扮小丑的保羅，1924
Paul en Arlequin
畫布、油彩，130 x 97.5 公分
巴黎，畢卡索美術館

51

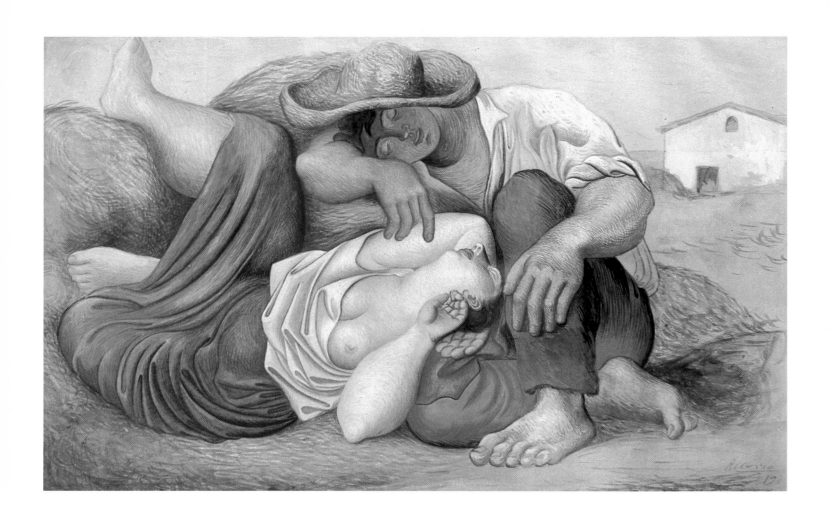

午睡，1919
La sieste
蛋彩、水彩和鉛筆，31.1 x 48.9 公分
紐約，現代美術館

「畫畫就像貴族找牧羊女生小孩一樣。沒有人會去畫雅典神殿的外貌；也不會去畫路易十五時代的椅子。我們會畫南部小鎮，一包煙草，以及一把老椅。」
畢卡索

正因為這樣，益顯其不朽。立體派手法雖也部份出現在畫中，如女人的手大小不一，但不影響整體給人的印象。

1918 年，奧嘉·科克洛娃冠上畢卡索的姓。婚姻改變了生活方式。畢卡索現在表現出來的，不再是天才畫家那種波西米亞性格，而是大師畫家的派頭與身份地位。這對年輕夫婦搬了家，有佣人，後來還有自用司機，往來的也是不同的社交圈，而這必然是來自奧嘉的影響。無政府似的藝術聚會，變成禮賓接待。也許畢卡索這時使用因襲的繪畫語言，刻意挪用傳統語彙，不再挑釁，都和這時對自己做為一個畫家的認知改變有關。

1922 年夏天，畢卡索在布列塔尼 (Brittany) 渡假處迪納 (Dinard)，畫了〈在沙灘上跑的女人〉（第 53 頁）。她們豐腴的身體幾乎填滿整個畫面，前面一位，動作由下而上，後面那位則由左向右。人物的狀碩、奔放，使人想起畢卡索 1905 年作的〈漂亮的荷蘭女人〉（布里斯本，昆士蘭畫廊，Queensland Art Gallery）。而她們那特別凸顯的女性特質，乃因奧嘉不久前懷孕，引起畢卡索驚異而有的畫法。因此這兩個雖無名，性徵卻突顯的人物，其實也在向太座表達敬意。畢卡索在手的動作上，參照一個古典範例，那是在義大利龐貝 (Pompeii) 旅行時，看到一個所謂神蹟別墅裡的〈被鞭笞者〉畫作。除了母性與繪畫傳統，讓這件畫作顯得複雜外，還有一些不符視

在沙灘上跑的女人（競跑），1922
Deux femmes courant sur la plage (La course)
夾板上、膠彩，32.5 x 42.1 公分
巴黎，畢卡索美術館

「藝術就只是藝術，從來不是自然，從最早的畫家、原住民，到如大衛、安格爾，甚至波圭洛 (Bouguereau) 這些藝術家，相信需畫得有如自然一般的，作品都明顯與自然不同。而且從藝術的立場看來，既無所謂具體，也無抽象造型，只有具說服力的造形謊言。謊言是精神的自我所需，這不庸說明，因為藉著它，我們形塑美學的生活觀。」
畢卡索

覺經驗的怪誕作法：例如看起來較遠，出現在圖畫前方的手，畫得最小，而在最後方那隻手，卻又畫得過大；再者，水平線不直，但依舊可見從左到右變高了一些。

從這幅〈在沙灘上跑的女人〉可以清楚看到，畢卡索決定以具象方式畫人物，並不意味，就排斥立體派的扭曲或質疑圖畫結構作法。畢卡索的畫作一直兼含這兩種元素。在「直接描摹表象」和「透視表象底層」兩極間擺盪，尋找新的表現形式，這種作法意味著，他具有從已達到的位置不斷尋求變化的活力。或者如安得列・布雷東 (André Breton) 這位超現實主義的發動機所說：「重點在於，畢卡索是唯一能超越新造形所訂之原則者；他的脾氣使這些原則無法不受生活裡動盪的情緒干擾。」布雷東，維持一貫對畢卡索的看法，在他的雜誌上首次發表〈亞維農姑娘〉（第 35 頁）。那是 1925 年，畢卡索當時正以優雅的古典繪畫，向立體派揮手道別。

1923 年，畢卡索在他的渡假地安提貝 (Antibes)，畫了〈牧笛〉（第 55 頁）。這張畫被視為畢卡索「古典時期」最重要的作品，但不只是題裁之故，它還含蓋了被視為「古典」的一些特徵，而這也一直是百年來一直是評斷藝術才華的準則。首先人物具有雄渾的氣質，由明確、簡單的造形組成，優雅如柱，具立體感，且沒有什麼動作。畫面完整，結構對稱，在每個人物後側有座牆，而中央延伸向無限；圖畫的完整性也來自人物的相應關係：安靜坐著的吹笛者，搭配的是兩腳異向分立的聆聽者。況且畫中的地中海氣息也影射，所有古典皆源自古希臘、羅馬。合諧的秩序，沒有受到任何怪異混亂影響，而且充滿了田園風味，雖然這證明畢卡索的極大才華，但他那挑釁魅力則已消失殆盡。由於畢卡索渴求變化，因此這張畫等於也宣告這個階段結束了。

1924 年畫的〈扮小丑的保羅〉（第 50 頁），一張兒子的肖像畫，相反地，卻反映他個人的幸福。畢卡索共畫了三張兒子的大畫，而且到死都保存在身邊。畢卡索讓三歲兒子穿小丑服裝，再度展現他粉紅時期喜愛的服飾類型，也顯示他個人對扮演另種角色的喜愛。這張畫由於看起來好像未完成，而具有一種私密性：除了頭和手是完成的，服裝看起來呆板，椅子和背景只以簡單速寫交代。由於圖畫的尺寸，畫上的小男孩在畫中顯得比真人還大，因而減弱了其私密性。這張畫同時讓人看到，這個時期他把私密和宏偉溶合

「你從不能說：我作得很好，明天可以休息了。當你才停下，馬上又得從頭開始。你可以把畫擱置一旁，說你再也不要碰，但從不能說這畫已經完成。」
畢卡索

牧笛・1923
La flûte de Pan
畫布、油彩，205 x 174.5 公分
巴黎，畢卡索美術館

戴面具的音樂家，1921
Musiciens aux masques
畫布、油彩，200.7 x 222.9 公分
紐約，現代美術館

石膏頭與手臂，1925
Tête et bras de plâtre
畫布、油彩，98.1 x 131.1 公分
紐約，現代美術館

坐在窗前的彫塑家和躺著的模特兒，以及花瓶、
頭像彫塑，1933
Sculpteur assis et modèle couché devant une
fenêtre, avec vase de fleurs, tête sculptée
蝕刻，19.3 x 26.7 公分
佛拉系列版畫第 63 號

「那是我的戰運 —— 或許也是我最大的樂
趣，依自己的興緻和喜好去擺弄東西。對喜歡金
髮女郎的畫家來說，卻因女郎和水果籃不相配而
不能畫，是件多麼掃興的事啊！而對那些不能忍
受蘋果的畫家而言，卻因蘋果擺在桌上最好看，
而得不斷畫，又是件多令人厭煩的事！我在畫裡
用一切我喜歡的。至於這些東西自己覺得如何，
我都無所謂，反正它們也只好接受。」
畢卡索

的特點。畢卡索這些年追求一種個人信念，強調把外在事物以幻想
呈現在畫布之可能性，但也不因此而遺棄他另一極的藝術信念：嚐
試完整掌握對象，紳入事物裡層，探討日敘東西的多重意義及其生
命。然而這種願望往往帶來裝飾取向，遵椒藝術傳統，或固守在舊
有的平面媒介上。對全然認知的追求也會出現另一傾向，例如強調
怪誕，形式的透明化或拆解。只有把這兩極溶合，才足以說明畢卡
索作品的整體風貌。

所以，在後立體派階段，會出現一幅被視為立體派極致的繪畫
不足為奇，而這指的是〈戴面具的音樂家〉（第 56 頁），作於
1921 年夏。畢卡索首次運用一群人作為立體派的題裁：三個來自義
大利藝術喜劇的人物，一個啞劇丑角，一個馬戲丑角，以及一個和
尚，一起演奏。它的繪畫性和風俗畫風，一如〈午睡〉所呈現的，
而其主題還包含形式的分解。這意思是說，人物只有透過抽象化，
透過符號來解碼：臉，藏在面具後面；腳，以塊狀成雙出現在圖畫
下邊；手，呈五角鋸形。樂器一直是立體派的題裁，而不成比例的
小手，讓人想起父親告誡，且深深影響畢卡索的：「正是手讓人認
出那是手。」熟悉／易解，不合諧／多義，都在這張畫裡溶成一
體，至少就畢卡索的作品而言，這也可稱為「古典」整體。

這樣的作品就成為創作者的標幟。畢卡索在二〇年代聲譽越來
越隆，也帶來生活方式的改變，這也可說是上述綜合性的結果。他
既要符合熟悉藝術傳統的觀眾的期待，同時也發展出自己的形式語
言。於是引用自我，漸漸就變成引用藝術歷史，這種發展，在他知
名度越來越高時，也越來越理所當然。因而到了某個點上，作品的
挑釁成份就消失了。立體派，這原本居繪畫前鋒的，由於畢卡索，
又變成古典的曲目。畢卡索的聲名因而不斷地自我繁衍。

1925 年夏畫的〈石膏頭與手臂〉（第 57 頁）便是例證。靜物
及畫室，常在畢卡索的作品中出現。這件作品正可說明，畢卡索常
自我影射，一來畫室是藝術家自我彰顯的地方，而靜物畫又可表現
其藝術造詣。以拼貼手法處理桌布這立體派遺風，以及半身像這古
典主義，在這裡再度結合。手與腳的片段，在畢卡索的典型作品，
如〈格爾尼卡〉（第 68/69 頁）裡又出現，而以風景為背景，在後
來的畫室作品中也重現。

二〇年代這樣的發展，似乎已超過畢卡索的負荷。社會「如何
製造一個藝術家」已不是他可以控制的。他可以畫他想要的，但同

女人與花，1932
Femme à la fleur
畫布、油彩，162 x 130 公分
紐約，納桑・康明思 (Nathan Cummings)
夫婦收藏

兩個女人，1935
Deux femmes
畫布、油彩，130 x 195 公分
紐約，現代美術館

「沒有所謂抽象的藝術。我們總得從什麼東西
開始，之後才能把真實的成份漸漸抽離。這樣就
不再有任何危險了，因為東西的概念已留下不可
抹滅的符號。它們是最先刺激藝術家意念，給予
感覺的。意念和感覺最後成為他圖畫裡的俘虜。
不管如何處理圖畫，它們反正逃不開了。它們合
而為一，即使它是否存在已無法辨認。不管喜不
喜歡，人就是大自然的工具。」

畢卡索

時要忍受一堆群眾對他所作任何東西，越來越盲目地給與掌聲，因
為這也等量的壓抑了他的個體性。還有與太太奧嘉的問題，她喜愛
扮演大師畫家太太的角色，因而在先生這種危機裡，反而無法成為
其支柱。還好由於生命力使然，他不致於落入困境；在一邊作無數
的圖畫實驗時，他也一邊在巴黎近郊波傑魯，弄了個彫塑工作室，
嚐試一些未知、不熟悉的東西，以挽救自己的獨立性。

　　「小姐，妳的臉很特別。我想畫妳。我是畢卡索。」以這麼簡
單幾句直率且公然阿諛的話，1927 年，他認識了瑪莉‧泰瑞莎‧瓦
特。接下來幾年，她彌補了畢卡索與太太奧嘉間的疏離關係。1932
年的〈女人與花〉（第 59 頁）便是瑪莉‧泰瑞莎的肖像，以當時
流行的超現實手法表現。即使畢卡索，也免不了受巴黎這個藝術團
體的影響，雖然他們又尊畢卡索為養父。總之，在這張肖像畫裡，
把女人與花類比，就是超現實的手法：頭和花都成豆形，頭髮與花
連成一氣，手與花莖難以分辨，這表示，任何東西都可由另一物來
替代。然這兒所要強調的，不在於形的多義性，而是它的可替換
性。在此作品中雖然出現了與畢卡索的想法對立的觀念，但在之後
的創作裡，它卻僅扮演次要的角色。

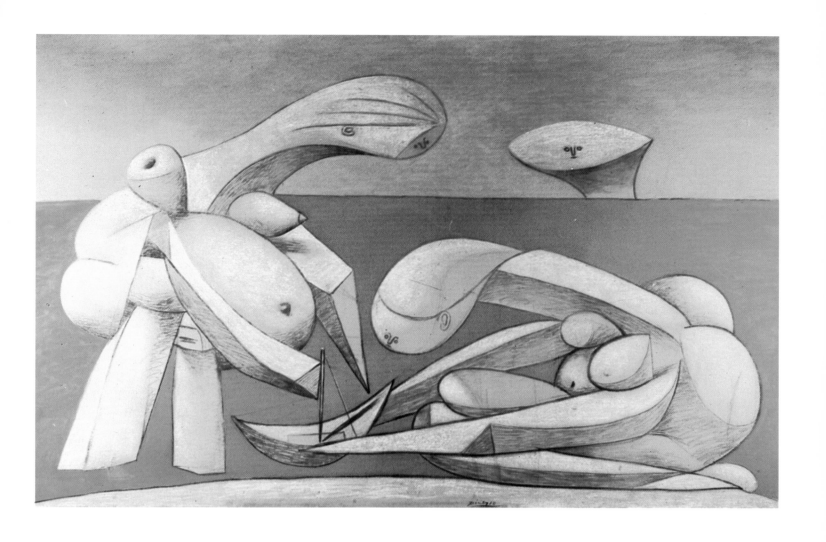

另一張瑪莉‧泰瑞莎的肖像是〈兩個女人〉（第 60 頁），畫於 1935 年 2 月。這張畫，第二個女人蹲在後方。畫裡呈現的是畢卡索這段時期典型的臉部畫法。由於他在 1913 年的圖裡，就曾把側面與正面結合，圓形的頭，卻擺進側面的輪廓，因而這張沈靜坐著的女孩圖畫，畫法進步許多：頭的輪廓都是側面的，兩隻眼睛則隱指正面，等於立體派時期的老方法的逆反。畢卡索敘在他的圖畫裡，採用這兩種變通。

畢卡索坦承，他生命中最低潮的時期開始於 1935 年 6 月。瑪莉‧泰瑞莎懷了孕，而和奧嘉離婚的事，又因律師處理兩人共同財產問題而不斷延後。在這段個人危機期，畢卡索多了控訴性的圖像語彙，發怒或瀕死的牛，威脅著人與動物；做為一個西班牙人，畢卡索向來對鬥牛著迷，如〈與米諾陶洛斯搏鬥〉。同時他把米諾陶洛斯這個牛頭人身的神話角色，轉為作品題裁。雖在義大利之旅後，他就做過一些嚐試，然直到受超現實潛意識心理學影響，才使畢卡索與這個形象產生認同。米諾陶洛斯因而成為這個位居邊緣，在縱慾與妥協間擺盪的藝術家的一個符碼。

1937 年 2 月作的〈泳者〉（第 61 頁），也是這個絆度危機的

泳者，1937
La baignade
畫布、油彩、臘筆、碳筆，128 x 195 公分
威尼斯，佩姬‧古根漢 (Peggy Guggenheim) 收藏

「我總試著，不要失去對自然的注意。我在意的是類似性，一種深層的類似，它比現實還真實，這便是超現實。」

畢卡索

「每個人都想了解藝術。為什麼不試著去了
解鳥的歌唱？為什麼人們喜歡夜晚、花朵、一
切周遭的事物，卻不會想去了解？但如果是一
張畫，就非得了解不可？他們必須先了解，藝
術家作畫，是因為他非畫不可。藝術家不過是
世界的一個微小部份，就像許多讓我們覺得愉
悅，卻說不出所以然的事事物物，不需要特別
的關注。那些想解釋圖畫的，常牛頭不對馬
嘴。」
畢卡索

關鍵圖畫之一。「我寫信是為了要告訴你，從今晚開始，我不再畫
畫、彫塑、作版畫、寫詩，而只歌唱。」畢卡索不久前才寫這封信
給傑姆·沙巴德斯 (Jaime Sabartés)，一位巴塞隆納時期的朋友。然
而他沒有照這個低潮時的隱退想法去做。

　　而這個時期，畢卡索的畫也顯示他的彷徨。其實從 1927 年開
始到坎城 (Cannes) 渡夏後，他就敘把泳者畫得很怪誕，每日敘見的
夏日遊客，被拆解成柔軟的變形蟲模樣。而 1937 年的泳者相反地，
卻又是角狀造形。雖然人物性徵很清楚，如尖凸的胸，後翹的臀，
但她們看起來卻如業餘者以堅實木頭做出的彫刻。超現實主義的影
響，在這裡明顯可見 —— 而且是最後一次如此明顯。至於表現上
的矛盾，為什麼顯然成熟的女人在玩玩具，也只能用這個理由來說
明了。

　　這張畫背景出現一個頭，而使原本明確的景象起了疑問。如果
我們把藍色區塊視為海洋，和畫裡的船正可相呼應，那麼在水平線
後的頭，便像個巨形恐怖的怪物。然若把藍色區塊視為牆，牆後探
出一個頭，似乎才較符合我們只能看到水平線以內的這個事實，但
這樣，前景人物與畫題就變得很奇怪。畢卡索沒有一張畫像這張這
般，顯示此時的困境。這種雙重意涵具有某種破壞性：它否定畫題
及敘述內容，或者是個難以想像的恐怖景象。

　　〈朵拉·瑪爾畫像〉（第 63 頁）就漸漸接近〈格爾尼卡〉
了。畢卡索在 1936 年，經由朋友 —— 保羅·埃魯亞爾和喬治·巴
代 (Georges Bataille) 而認識這位南斯拉夫的女攝影師。在戰爭那幾
年，她成為他固定的伴侶。這張寧靜安祥的臉，同時呈現了側面及
正面，使畫具有古典的合諧感；連衣領和椅子，也以側面及正面呈
現。然而張力偶也出現在這看似井然的秩序裡。不同顏色的眼睛，
也許可說是畫家在耍的幻術，但窄窄的格狀空間，就已預示不久即
將到來的戰爭圖畫。它表現出害怕遭禁閉，一種幽閉恐怖症。但到
此為止，基本上他的作品仍表現出合諧與美麗。

「當然，我的風景畫和我的裸體或靜物畫一
樣；但人們看到臉上側畫的鼻子，就覺驚訝，
而對橫跨的橋不覺什麼。然而這個『側畫的鼻
子』是我故意作的。人們終會了解：我做該做
的，好迫使他們看出這是個鼻子。」
畢卡索

朵拉·瑪爾畫像，1937
Portrait de Dora Maar
畫布、油彩，92 x 65 公分
巴黎，畢卡索美術館

# 海報藝術家畢卡索

1945 年 10 月，由於布拉克介紹，畢卡索認識了在巴黎的印刷人 —— 費南·慕洛 (Fernand Mourlot)。由於戰爭關係，有許多年他不得不放棄版畫，現在慕洛提供他夏布洛 (Rue Chabrol) 路的工作室，於是他便整天 —— 常常是從一大早到很晚，窩在裡頭工作。連續三年半，他共作了兩百多張石刻版畫。每天快樂的與吸水紙、墨水、蠟筆、洗版、刮版為伍，把版轉製石上。他總喜歡去發現新技術，而工作室的師傅們，每每只是搖頭笑笑，耐心照辦，等結果出來時，卻十分驚訝。

和平鬥士世界大會，1949
Congrès de la Paix
照片石版，60 x 40 公分及 120 x 80 公分
印製：慕洛，巴黎，1949

不久，畢卡索也在慕洛工作室印製海報。這種媒介結合簡單訊息，和易留給人紳刻印象的圖畫，他不只用在做自己的展覽海報上。自從加入共產黨後，能大量傳播的海報，也適合用來宣揚他世界和平的理念。鴿子，這在馬拉嘎被小帕布羅視為希望象徵的小動物，於是成為舉世聞名的和平象徵。

1949 年 4 月，畢卡索為巴黎世界和平會議作的海報（第 64 頁左），也由慕洛印製。路易斯·阿拉貢 (Louis Aragon) 到他在大奧古斯丁路 (Rue des Grands-Augustins) 的工作室，正巧看到這張才完成不久的石刻版畫，於是建議作為海報的題裁。

另一位影響畢卡索海報藝術的，是瓦洛西 (Vallauris) 的印刷人阿內哈 (Arnéra)。畢卡索 1946 年在那兒哈米耶 (Ramié) 夫婦的工場開始作陶，1948 年又租了名為「高盧」(La Galloise) 別墅，與法蘭絲娃同居。阿內哈激勵他作膠版畫，因而產生無數鬥牛以及宣傳自己展覽的海報，海報上並常出現這個地名。1952 年的一張展覽海報（第 64 頁右），呈現一隻山羊側面，酷似 1950 年在瓦洛西作的〈山羊〉銅像（第 48 頁右），這也是畢卡索喜愛的題材。這裡，圖像位

瓦洛西展覽，1952
Exposition à Vallauris
彩色膠版，66 x 51 公分
海報尺寸：80 x 60 公分
印製：阿內哈，瓦洛西，1952

瓦洛西的鬥牛，1959
Taureaux à Vallauris
彩色膠版，65.5 x 53.5 公分
海報尺寸：78 x 56 公分
印製：阿內哈，瓦洛西，1959

瓦洛西的鬥牛，1960
Taureaux à Vallauris
彩色膠版，63.5 x 53 公分
海報尺寸：75 x 63 公分
印製：阿內哈，瓦洛西，1960

於中心，文字則環繞其旁一起構圖進去：「展覽」(EXPOSITION) 這個字填滿頭部上方空白處，跟著造型變化，因而字體獨特。頭下方的「瓦洛西」(VALLAURIS) 字眼，正好填入山羊形體的凹處，字體以另一種方式配合：字母配合山羊那蓬鬆的鬍鬚，有若影射動物的毛，雖然它沒有實際畫出。而字的重要性又次於數字。1952 這年代數字，被王冠狀的 O 給圈住，位於圖畫中央上方，因而造成前面字母空間寬敞，後面擁擠的狀況。

畢卡索的海報裡，成功結合圖與文的，還有 1959 和 1960 年的兩件作品（第 65 頁）。這兩張海報可視為同一主題的不同變化，上面都寫著〈瓦洛西的鬥牛〉(Toros en Vallauris)。鬥牛，這從古至今西班牙傳統的活生生祭儀，也以「較溫和的」形式出現在南法，更一直是畢卡索作品的題材。

從 1959 年的海報裡，我們可以看到鬥牛的過程景象。TOROS EN字母，像棕色木板牆的裂口般，讓人窺見以簡單筆法畫出的鬥牛場景，而在T這橫槓裡（R的上半情形也一樣），杏仁形狀的框框，既可視為鬥牛場，也可當它是眼睛，反射該景象，或是眼睛從裡往外看。相反地，眼睛從柵欄另一邊，透過O看向觀者，使我們感覺那些小小人物的遙遠；畢卡索這種方向遊戲，使這缺乏傳統透視的圖畫，在「牆」後也能產生空間。圖文併用在此獲得平衡，因為，字母本身既承載著訊息，又是圖畫象徵。而畢卡索 1960 年為同樣目的作的海報，則反向逆應用這個在他海報藝術裡極為重要的方法。這裡圖文並重，速寫的鬥牛圖成為文字的框，由於其排列，眼睛要掌握裡頭的字母音詳，就必須跟著圖畫跳動。

在畢卡索的海報版畫裡，彩色膠版的重要性甚於單色或簡易處理且廉價的石版或複製版畫。和當時的同好比起來，畢卡索是個異數，因為二十世紀的藝術家們通敘都避免使用此法。和木刻比起來（畢卡索很少使用），膠版由於沒有線紋，看起來較不生動，但畢卡索懂得應用彩色膠版本身的魅力：刮得「不乾淨」的版，會看得出來，使明暗對比減弱，疊在一起的色面，又可製造其它效果，透過適當程序，可製作對比強烈的圖畫，例如 1952 年山羊頭的展覽海報便是一例。在巧妙處理這些特性下，畢卡索終使膠版得以在二十世紀廣泛流傳。

# 戰爭經驗
## 1937–1945

「格爾尼卡，這巴斯克省 (Basque) 最古老的城市，文化傳統的重鎮，昨天下午遭暴徒從空中轟炸，完全摧毀。這沒有防禦，離前線甚遠的城市，竟足足被轟炸了四十五分鐘。在這段時間裡，德製的容克史 (Junkers) 和亨克爾 (Heinkel) 轟炸機，以及亨克爾戰鬥機，不斷以最重達五百公斤的炸彈投擲轟炸該城。同時，低飛的戰鬥機也對著逃往郊區的居民掃射。整個格爾尼卡在短短時間裡，陷入一片火海中。」

1937 年 4 月 27 日出版的倫敦《泰唔士》報，以一種冷漠、事不關己的方式報導西班牙內戰，在以統治者、英雄事蹟為主導的歷史記載中，這充其量不過是個微不足道的小場面。然透過畢卡索的圖像詮釋，它在幾年裡便成為一件世紀大事。畢卡索從個人角度，毫不留情的批評，這是法西斯的世界末日實驗。這張畫的真正價值，不在於描述歷史或具體所發生的事，而是描繪那跨越時空的永恆苦痛。

畢卡索的〈格爾尼卡〉（第 68/69 頁），是在藝術可獨立自主的時代才可能有的歷史圖畫；以藝術家的主觀感受取代目擊報導。圖畫所描述的，較不是歷史事實，而是該事實對畢卡索心理產生的影響。

「孩童的淒嚎、婦女的淒嚎、鳥兒的淒嚎、花朵的淒嚎、樹石的淒嚎，磚瓦、傢俱、床、椅子、窗簾、盆子、貓與紙的淒嚎，混雜交溶氣味的淒嚎，穿刺肩膀的煙霧的淒嚎，在大壺裡燜燒的淒嚎，紛紛墜落如雨、淹漫海水的鳥兒的淒嚎。」畢卡索把這些詩行

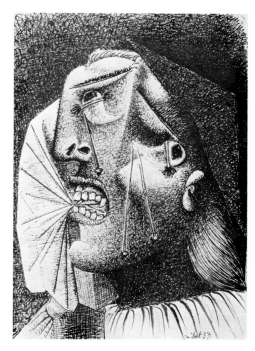

哭泣的女人，1937
La femme qui pleure
墨水，25 x 16 公分

哭泣的女人，1937
La femme qui pleure
畫布、油彩，60 x 49 公分
倫敦，彭羅斯 (Penrose) 收藏

「人們想在萬事萬物裡發現『意義』。這是我們時代的一種病，很不實際，卻又自認為比其它時代更實際。」
畢卡索

「我們必須消滅現代藝術。這意思也是說，如
果我們還想繼續有所成就的話，也得殺掉自
己。」　　　　　　　　　　　　畢卡索

格爾尼卡，1937
Guernica
畫布、油彩，349.3 x 776.6 公分
馬德里，普拉多美術館 (Museo del Prado)

格爾尼卡草稿，1937
Etude pour Guernica
鉛筆，23 x 29 公分

「你認為藝術家是什麼呢？呆子？一個只長有眼睛的畫家，只有耳朵的音樂家，只有一具七絃琴描述各種心情的詩人，或是只長肌肉的農人？完全相反！藝術家同時是個政治生物，會充份意識到世界大小事件的破壞、焦慮或幸運，而跟著變化。人怎麼可能不關懷他人，怎麼可能躲在象牙塔裡，無動於衷地把自己從如此豐富的生活裡隔離？不，繪畫不是用來裝飾房子，而是用來攻擊敵人，保衛自己的武器。」

畢卡索

放在 1937 年初作的〈佛朗哥的夢與謊言〉蝕刻系列中，這是他首次針對在西班牙故鄉，因共和黨與法西斯徒眾爭戰引起的內戰，所做的表白。即使在這極其強烈的文字描述湍流裡，他也捨棄任何記史作法。受苦的狀態、恐懼，不只存在於片刻，而有如人類生命裡一直伴隨的陰影，勝利，並穩現上風。畢卡索的藝術創作因此具有一種神話傾向，強調超越時間，而不是作激情的臨場報導。

然〈格爾尼卡〉在 1937 年 5/6 月製作時，也正合時宜。畢卡索在一月時，受西班牙共和黨政府請託，為夏天在巴黎世界博覽會的國家館畫一幅巨畫。由於不喜歡受委託製作，而且為了保持創作的連續性，他決定以〈畫家與畫室〉為題。但當轟炸格爾尼卡的消息傳來，原本個人性的創作計劃就消失：否則那會是一幅與樹的對話，如果對這瘋狂行徑保持緘默，簡直就是罪行。

於是，在作了無數素描和草圖後，畢卡索以標題明示，提出個人對此當代人皆知之史實的觀點，以藝術家的形式語言作個人主觀的分析。和以前一樣，畢卡索仍然引用藝術歷史的範例，例如漢斯‧巴東‧葛里恩 (Hans Baldung Grien) 的〈著魔的僕役〉，或希臘神殿上的人像，尤其是圖畫中央的三角構圖；或引用自己，如圖左下方受傷的戰士等。但他還是忠於這項委託，這從圖中瓷磚地板，影射西班牙國家館地磚可以得知。

格爾尼卡成為二十世紀的集體意識，因為〈格爾尼卡〉代表一種文化認知。當這張畫流落紐約四十多年，在 1981 年歸還西班牙時 —— 因為畢卡索曾嚴命，在法西斯終止後才歸還西班牙，這個國家因而獲得一個國家的象徵：現在它掛馬德里的普拉多美術館，像《大英銀行》的黃金一樣由警衛看守。

超現實主義所要求的內省，以及解放心理衝動，對畢卡索這樣一位面對具體現實的藝術家而言，能給予的新刺激非常有限。雖然由於個人危機使他也有內省、自我觀照傾向，這從他創作中可見，但畢卡索到底還是一位圖像寫實主義者。至少從〈格爾尼卡〉開始，具體事件使原本的內在探究變得可笑。戰爭經驗的強大震撼，不斷面對的衝突，使畢卡索再度去處理自我以外的題裁。接下來幾年，正好提供他政治表白的良機。

畢卡索在 1937 年 10 月畫〈哭泣的女人〉（第 66 頁），像為〈格爾尼卡〉作註腳一樣，回到以該圖左方的母子素描為基礎，而這個受苦題材則凝結為頭部的誇大特寫。乍看之下，繪畫以一些純

瑪雅與船，1938
Maya au bateau
畫布、油彩，61 x 46 公分
琉森，羅森加特收藏

羊頭骨，1939
Crâne de mouton
膠彩，46.5 x 63 公分

粹的元素為主：背景色調明朗，女人賣弄的草帽，以及許多肖像為人熟悉側面與正面交顯得作法。然圖中央出現象徵苦痛的三角形手巾，女人在極度悲慟中咬著，也借它擦拭不斷從眼中湧出的淚水。連指尖在觸及時，也似乎化成淚水。嘴部四周雖被遮蓋，卻顯露出她極大的苦痛，減化為白藍對比的手法，也使人想到〈格爾尼卡〉。整個苦痛悲情就隱含在頭與手巾的題材對比上。

　　這裡畢卡索似乎讓人覺得要得太多。如果說立體派圖畫為人熟悉的是，處理日常題材與破壞題材本身造型的對立關係，那麼，這裡涉及的便是雙重破壞。被破壞的造型是畢卡索的標誌，現在它本身又成為破壞、撕裂、分解的題裁。可以說，一種修辭的重複(tautology)，出現在這時的一些畫作中。雖然這些圖畫並不缺直接給人苦痛的感覺，但在多看一眼時卻又讓人不禁懷疑，當畢卡索在追求圖畫的複雜性時，是否反而傷朗了苦痛這單純的悲情。

　　「看，我不只處理陰霾的事物。」畢卡索指的是這時他為女兒瑪雅所作的一些肖像，要一位友人不要只看到這時期的苦痛題材。1938 年 1 月畫的〈瑪雅與船〉（第 71 頁）看起來不過是日常景像。天真是這幅畫的主題，小孩無憂無慮玩著小船，大大的眼睛以及辮子，素描似的童畫畫法，具有一種稚氣的輕鬆，不應該是那個時代會有的氣息。然而和小女兒及瑪莉·泰瑞莎·瓦特共處的家庭生活，使他得到精神支柱，而得以完成這些人們期待於他的大作。

　　1939 年 8 月，畢卡索以及歐洲都過了最後一個許久不會再有的美麗夏天。〈安提貝的夜間打魚〉（第 74 頁），便具有一種田園式的歡愉，如畢卡索欣賞的老同好 ── 歐立·盧梭 (Henri Rousseau) 的畫。這近乎敘事性，在滿月之夜打魚的景象，畢卡索在玩的其實是光與色的和諧。具體呈現漁夫的動作，海裡動物被燈光引誘，以三角叉刺魚，使人想起他很久不再有的，對風俗畫的喜愛。然而，這瞬時的印象也許有誤。這浪漫的夜遊，因非典型畢卡索的用色，不是帶來一種鬼魅、令人生懼的效果？藍、黑及不同的綠色調，混合了陰沈的棕色及深紫色，這是圖左上角安提貝鎮的色彩，而蒼白的臉則顯示對威脅、不測的恐懼。

　　接著六年，畢卡索無法前往地中海區。住在被納粹佔領的巴黎，封閉於是成為他的創作題材。他已流亡生活了十數年，這反使他的創作更豐富，然而現在，他會有多年沒有觀眾。「內在的流亡」，可以用來描述很多在法西斯當權時代歸隱的藝術家處境，而

　　「我在藝術裡應用不同的風格形式，不應把它們看作走向理想繪畫的發展或進階。所有我作的，都是為現代而作，並且希望可以一直保有現代性。我從來沒想過要尋找。如果我有想表達的，就直接表達，不會去想過去或未來。我從來不摸索或實驗。如果我有話要說，覺得該怎麼說就怎麼說。不可避免地，不同主題需要不同的表達方式。但這並不代表發展或進步，而是配合構想所需，順應媒材的作法。」

畢卡索

牛頭骨靜物，1942
Nature morte avec crâne de bœuf
畫布、油彩，130 x 97 公分
杜塞道夫，北萊茵威斯特法倫美術館
(Kunstsammlung Nordrhein-Westfalen)

室〉畫自解放後有關集中營的報導印象。直到現在人們才知道，理性
沈睡時的暴行有多恐怖。那是一個數百萬民眾不被當人看的時代，正
如畢卡索在〈藏屍室〉畫中，呈現的成堆死屍一般。以形的破壞和拷
打為表現主題，但〈格爾尼卡〉與造型媒介的慘烈，和現實比較起
來，顯然還不夠殘酷。

　　畢卡索許多作品不斷出現死亡經驗，從卡薩格瑪年輕時代自殺開
始，就是他主要的表現題裁之一，到〈藏屍室〉時，已變得更形客
觀。大家常談的藝術與生活結合，沒有比這再戲謔的了。

「有什麼比被了解還危險的，尤其是因為了解
根本就不可能？人們往往只會被誤解。人們相
信，人不寂寞。但這反使人更寂寞。」

畢卡索

藏屍室，1944/45
Le charnier
畫布、碳筆上畫油彩，199.8 x 250.1 公分
紐約，現代美術館

# 陶藝家畢卡索

畢卡索的陶藝作品和瓦洛西這個普羅旺斯 (Provence) 小鎮有密切的關係。1936 年，和詩人保羅‧埃魯亞爾一起開車旅行時，畢卡索首次造訪位於坎城附近的瓦洛西。從羅馬時代起，這裡就是生產陶瓷的地方。然而無數工場都已關閉，因為傳統製造的東西沒有人要了。

直到戰後，1946 年，畢卡索才又想起瓦洛西，再度造訪，認識了哈米耶這對作陶的夫婦。在他們的「瑪度哈」(Madoura) 工場，他作了一些小人像，一年後，發現它們還好好的放在那兒。畢卡索和瓦洛西維持了十年密切的關係。他先是在哈米耶的工場裡作，然後搬進一個原是香水廠的寬敞工作室裡，並且住進該鎮上方的一棟別墅。單第一年，畢卡索就和當地陶藝工作者們密切合作，作了近兩千件陶作。

畢卡索在瓦洛西找到一種新的「遊戲方式」。對像他這樣多才多藝的人來說，不會把自己侷限在古典媒材上，而是不斷尋找新的表現方式。每當他找到新的東西，戳像小孩拿到第一個玩具汽車一樣興奮。陶藝 —— 一種畫家或雕塑家都避之的古老傳統手藝，來的正是時

畢卡索於瓦洛西，1947

候。雖然馬帝斯和野獸派其他藝術家，在他之前就以陶創作，但他們都僅侷限於，為拉好的坯上釉彩妝。

剛開始時，畢卡索和他們一樣，把靜物畫裡常用的器具，如盤、碗、盆、杯，塗上釉彩，使這簡單的日常器物獲得新的性質。例如一只普通的盤子，到他手上變成鬥牛場。盤子邊緣的墨點表示觀眾，於是這裡就成為環繞演出的看台。盤底是鬥牛士與牛相遇的競技場。

畢卡索把普通器物完全改造為藝術品，把盤子特有的形式和所畫的東西結合。簡單幾筆，這尋常的器具就變成畫。

然畢卡索作的，是在日常語言裡既已存在的。例如擬人化地說，瓶子具有腹和頸。塗繪後，陶的立體造形便成為圖像，成為一件雕塑。所以理所當然的，畢卡索接著便自己捏塑。他先是把剛拉好坯，還濕濕、易塑的陶，以彎或壓的方式改變其形。嚴謹對稱的造形被打破，表面也不再光滑，材料和其特性被彰顯出來。於是原本被捏塑出來的瓶子，忽然變成跪著的女人。

鴿子是常出現在畢卡索作品裡的題材，童年時，他在父親畫架上便已看到。在後來的繪畫和版畫裡，這原本對自然的研摹，慢慢就變成對和平的呼喚。畢卡索也以鴿子來裝飾碗盤或作成立體造形，把原本沒有形狀的土，捏弄一下，賦予生命，象徵自己那永不滿足的創作慾望。針對鴿子，畢卡索的友人

**雙耳花瓶**，1951
Vase à la chouette
花瓶的兩隻耳朵，在轉盤上作好再粘上去，並上釉料
約 57 x 47 x 38 公分

**盤子：揚身的馬上鬥士**，1953
Assiette: Picador et cheval se cabrant
36.5 x 36 公分

**臥著的藍鴿子**，1953
Colombe bleue couchée
24 x 14 公分

磁磚：女人頭像，1956
Plaque: Tête de femme
白土，以粉筆圖飾並上釉，61 x 61 公分

貓頭鷹，1952
Chouette
白土，灌模，以釉料和粉筆圖飾
33.5 x 34.5 x 25 公分

瓶子：站與跪著的女人，1950
Bouteilles: Femmes debout et accroupie
白土，在轉盤上塑好，再以白法瑯氧化
左邊人像：29 x 7 x 7 公分，右邊人像：29 x 17 x 17 公分

陶瓶，畫有裸露及穿衣的吹笛人，1950
在轉盤上塑，高約 60 公分

尚・科克多說：「你扭轉牠們的脖子，牠們就有生命了。」

當他對一種新材料越熟悉，便越樂於去嘗試新技術。他開始在堅硬如皮的土上刮、切，或再堆上土，使表面有如浮雕。最後，他應用拼貼手法，把很多器皿局部粘在一起，原本的形狀便只隱約可辨。

在瓦洛西安置好自己的工作室後，畢卡索也開始畫磁磚。這個陶瓷產物只被當作畫面使用，但卻頗受畢卡索重視，因為和油彩不同，釉色不會因時間而發生變化。他常把許多塊磁磚組合成一件大畫，以不受磁磚尺寸的限制。

由於畢卡索到瓦洛西，而使該鎮陶藝又復活。哈米耶工場作了許多畢卡索的原件複製，賣得非常好。每年藝術家生日，這裡都會舉行很大的慶祝活動，高潮便是當地競技場上的鬥牛賽。畢卡索常在孩子陪同下，坐在榮譽席上觀賞。

77

# 晚期作品
# 1946 – 1973

　　米達斯 (Midas) —— 傳說中，佛里吉亞國 (Phrygia) 的國王，得到上帝的允諾，所有被他摸到的東西，都會馬上變成金塊，包括食物和飲料，結果最後他幾乎餓死。這個古希臘神話便在警告世人，不可過度貪圖世間財富。「若說畢卡索擁有米達斯的能力，頗符合事實。由於他的才華頗受肯定，隨便他在紙上畫什麼，這幾筆就可變成金子。」畢卡索的傳記作者彭羅斯，以沒有比這再恭維的話，形容他崇拜的這位神話英雄。那麼畢卡索神話應該是個喜劇結尾囉？

　　1945 年夏，厭倦了幾年在巴黎的封閉生活，畢卡索在普羅旺斯的小村落美內布 (Ménerbes) 買了一棟老房子。這位米達斯國王再度施展魔力：他用一幅靜物畫換得這座小別墅。所有他想擁有的，都可透過畫來達到；然而這不是上帝賦予他的，而是他的國際知名度。不過即使畢卡索神話，也有勸誡的意味：畢卡索並不害怕飢餓，而害怕群眾，因此必須付出孤獨的代價。然他越隱閉，大家對他的才華便越崇敬。戰後，畢卡索作品顯現避世的現象。除了少數例外，畢卡索不再對公眾事物發言，晚年大量作品也只反映自己的生存；而這是一個成為公共財產的藝術家之生存。

　　畢卡索的自傳性繪畫，畫的幾乎都是畫室。巴黎勾起人太多戰爭的回憶，對他已夠了。1955 年夏，他於是買了「拉·加利福尼」(La Californie)，一棟十九世紀相當壯麗的別墅。它位於坎城上方，可以眺望如安灣 (Golfe-Juan)，以及他夏天常去渡假的安提貝。從工作室可看到他放置彫塑的遼闊花園。地中海，南部，正符

潘（牧羊神），1948
Pan
石刻版畫，65 x 51 公分

拿著煙斗與花的火槍手，1968
Mousquetaire à la pipe et fleurs
畫布、油彩，145.5 x 97 公分
琉森，羅森加特收藏

「沒有東西不是在孤寂中誕生的。我為自己製造一種沒有人知道的孤寂。今天因為有了鐘，我們已很難獨處。你曾見過一個戴錶的聖者嗎？我沒見過，即使鐘錶業的守護神也不戴錶。」
畢卡索

坎城《拉‧加利福尼》畫室，1956
L'atelier de《La Californie》Cannes
畫布、油彩，114 x 146 公分
巴黎，畢卡索美術館

「其實我們只能因反什麼而作。甚至是因反
自己。這非常重要。大多數畫家作一些小小的蛋
糕模子，然後拿來烘蛋糕。總是同樣的蛋糕。而
他們滿意極了。畫家不應作人們所期待於他的。
風格對畫家而言是最危險的敵人。畫家死了之
後，繪畫才有風格。繪畫永遠佔優勢。」
畢卡索

合他那西班牙人的天性，而且又可避開已成負擔，川流不息的人群
與擁護者。這大而寬敞的屋內空間，就成為這三年他那〈室內景
觀〉的舞台。

1956 年 3 月畫的〈坎城「拉‧加利福尼」畫室〉（第 80
頁），就像藝術家的大教堂，滿是藝術珍奇的聖殿。當然，藝術家
的目光似乎已踏入遙遠的幻想與冒險之旅裡。然而畫面同時發展出
一種反思藝術的複合手法。例如畫面中央，畫架上空白這塊，同時
又是整個畫室圖像裡，沒有被處理的部份；再如畫面右邊，窗外棕
梠樹，以及窗前欄杆，也天衣無縫地成為倚在窗前圖畫的一部份。
這個〈畫中畫〉題裁，不僅一五一十地把畫室景象畫進去，同時也
操弄各種藝術所代表的真實之投影。

十天後誕生的〈賈桂琳在畫室〉（第 81 頁），把這個迷幻遊
戲發揮得更加淋漓盡致。一幅具體，由畢卡索所畫的畫室圖畫，裡
頭有俄式茶壺、桌子、窗景等與〈坎城畫室〉相同的元素作為題

材，才明確交待出如題目所標示的畫室氣息。即使賈桂琳的側面肖像也具有雙重意涵。賈桂琳是畢卡索五年後結婚的人，雖然當時他已年屆高齡。她是真坐在籐椅上呢？或者，頭不過是背後那塊其它部份留白的畫布之一部份？這種室內畫法不一定是受馬帝斯影響，也不應被看成為裝飾、平面性手法，而是畢卡索那矯飾，極為敏感的處理現實，製造錯亂的藝術手段。

　　人們或可詆毀說是「為藝術而藝術」，批評他矯揉造作、嘩眾取寵。但這是因為不了解，畢卡索其實一直在對輿論進行悲劇性地反抗；雖然這種反抗註定會失敗。他圖畫裡所顯現的現實錯亂，似乎也是個人的記錄。畢卡索成為船首用以裝飾的雕塑，畢卡索成為受寵人物，畢卡索成為追逐焦點的犧牲品，而大家只對他的聲名感興趣，卻對當時的藝術創作不在意。晚年的畢卡索，人們從畫報、書籍、電影裡，幾乎熟悉他每條褲子上的鈕釦，而對他作品卻鮮少注意。他的藝術被看成只是一個天才老人的嗜好。也許因為被大眾

賈桂琳在畫室，1956
Jacqueline dans l'atelier
畫布、油彩，114 x 146 公分
琉森，羅森加特贈予琉森市政府

「開始畫一幅畫時，總會有一些美麗的發現。而這是我們要小心的。我們須摧毀畫，一畫再畫。每當藝術家摧毀一個美麗的發現，並不是壓抑它，而是轉變它，濃縮它，使之更具實質性。最後產生的，便是失而獲得的。否則就只會成為自己的「專家」。而我又不買自己的東西。」
畢卡索

賈桂琳與花的肖像，1954
Portrait de Jacqueline aux fleurs
畫布、油彩，100 x 81 公分
姆甘，賈桂琳・畢卡索 (Jacqueline Picasso)
收藏

「我處理繪畫，正如我處理物體一樣，也就是
說，我畫窗戶，就像探頭看窗外一樣。如果一幅
畫上，開著的窗戶看起來不對勁，我就把它關起
來，拉上窗簾，一如我在自己房間會做的。繪畫
就像生活，不要繞路而行。當然繪畫裡有一些慣
式，重要的是，不要忽略它。其實根本也別無它
法。因此必須對真實生活時時關注。」
畢卡索

佔有，因此畢卡索晚年作品，便只環繞在藝術這個題目上。走進藝
術歷史，掌握傳統技巧，在畢卡索作品裡已成必然。年輕時，由於
向歷史看齊，畢卡索學習艾爾・葛雷柯、安格爾及塞尚，而建立自
己的形式語言，晚年時再度以另一種手法表現這些老大師的作品，
也因此打開了一個新的面向。1946 年，畢卡索與賈克・路易・大衛
(Jacques-Louis David)、法蘭西斯克・德・哥雅 (Francisco de
Goya)、迪耶哥・委拉斯蓋茲 (Diego Velázquez) 的作品，一起在羅
浮宮並列展出。畢卡索的畫作，如所預期的，能經得起考驗。此後
再有為老的賦予新意時，便可以感覺到一絲戰後典型的樂觀主義：
新的，具現在畢卡索身上的，日後定會超越老舊的。

　　1957 年 8 月 17 日畫的〈侍女〉，是他四十四張一系列改畫此
圖的一張，全部都在短時間內，針對單一部份或整體所作的研究。
委拉斯蓋茲的原作（第 84 頁）作於 1656 年，半世紀前，帕布羅在
普拉多美術館，便對它甚表敬佩。刺激畢卡索的或許是這張畫裡的
西班牙傳統，或許是因它的聞名世界，或是其〈畫家與畫室〉的題
材。此外，如果想到之前畫室作品那錯置現實的遊戲，這張畫便更
具意義，它是畫家自我反思的典範。該畫把作畫過程的客體、主
體、觀眾攪混一起；從後牆鏡上可看到模特兒，畫家站在畫旁，女
侍看著畫畫過程。委拉斯蓋茲以一個宮廷畫家身份，呈現王室氣
氛，包括裡頭一些人物，同時也把自己畫到鏡中給國王夫婦看。因
此這張畫是藝術家自我意識存在的紀錄。

　　現在，畢卡索揚棄中央透視的教條作法，把畫家更明顯的擺到
前面。真正的主題是他以及其自我彰顯，因此，這張畫到底主要是
引自委拉斯蓋茲，還是自己，便成為一個未解的疑問。畢卡索自
己，無疑地，也可擺在前輩大師之列裡。線條勾勒的臉、簡單幾筆
的輪廓、圖右素寫的人物，在在顯示畢卡索晚期作品的特性：放棄
幻象似的描繪，把圖像語言簡化，如簡單抽象的兒童畫。

　　畢卡索喜愛他的無秩序甚於一切。他所收集的各種器具，越來
越怪異，畫也堆了幾公尺高；好像每當他別墅堆滿了，就再去買一
座新的。在畫〈侍女〉時，他還可搬到「拉・加利福尼」樓上，這
一層過去是讓給鄰近鴿子免費居住的。而牠們報答的方式是，當他
的模特兒，因此牠們便出現在畢卡索畫〈侍女〉同時所畫的圖中。
這個系列畫的是，畫室窗外坎城的蔚藍海岸。1957 年 9 月的〈鴿
子〉（第 83 頁），則完全是幅描繪氣氛的圖畫，詩意呈現晴朗的

鴿子，1957
Les pigeons
畫布、油彩，100 x 80 公分
巴塞隆納，畢卡索美術館

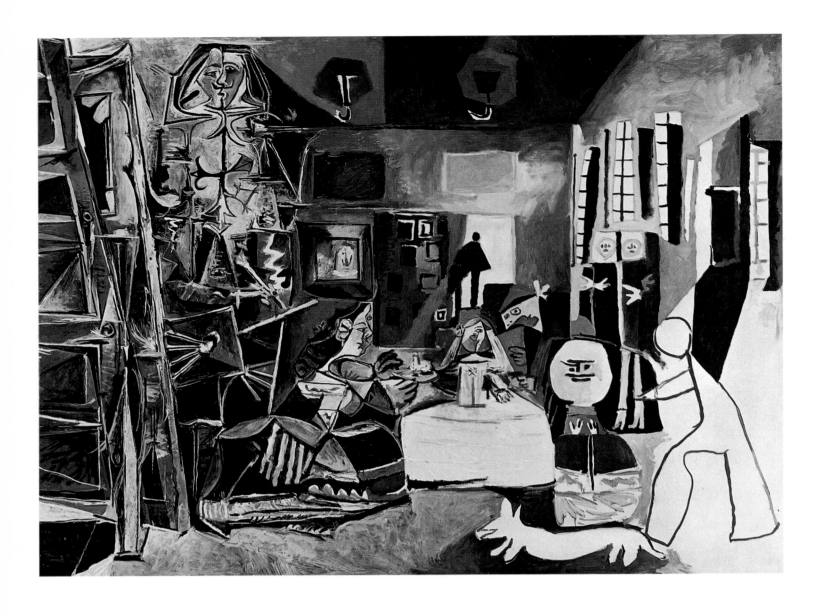

委拉斯蓋茲的〈侍女〉變奏，1957
Les ménines, d'après Velasquez
畫布、油彩，194 x 260 公分
巴塞隆納，畢卡索美術館

迪耶哥‧委拉斯蓋茲：侍女，1656
畫布、油彩，318 x 276 公分
馬德里，普拉多美術館

一日，沒有其它意涵，不過畫出所見。即使天才，也有需要休息的時候。

1958 年，「拉‧加利福尼」也完成了任務。坎城因為它而多了一個吸引觀光的景點，越來越多的崇拜者和窺視者，使畢卡索不得不搬家。他買了位於埃克斯‧普羅旺斯 (Aix-en-Provence) 附近的佛文納菊(Vauvenargues) 別墅，那是棟建於十四世紀的建築，可以看到聖‧維克多山 (Mont Sainte-Victoire) —— 塞尚的山，他曾在埃克斯住過。這趟搬家，反映在他藝術裡的是，從此色彩越來越侷限在黑、白、綠上。

而畢卡索喜愛的系列性創作並沒有受到影響。在他改畫馬內的〈草地上的早餐〉（第 85 頁下）裡，他也在畫家與模特兒題裁上作了變化。馬內的原作，在 1863 年引起喧然大波，因為畫家竟敢畫裸女在林中野餐，而兩旁男士卻都衣冠楚楚。畢卡索 1961 年的畫法（第 85 頁上），具有古典畫家的基本特點。畫裡兩個題裁：抽煙的畫家，以及穿衣的畫家和裸露的模特兒並置，是畢卡索直到去世一直都常見的。

以藝術自身為題不斷出現在作品裡，好像畫家畢卡索在向畫家馬內請益，如何呈現畫家。這裡我們看到，畢卡索在反思自己位置時，對公眾要求所作的回應。他藉助權威人物、藝術體制，如藉用委拉斯蓋茲、馬內，便希望這種客觀論析較易獲得觀眾的了解。事實上，把藝術歷史名畫加以變化，作品便更容易引起公眾注意。因為一切都可可依循某種基準來憑段、衡量；這種基準決定了畢卡索的藝術，同時在某種程度上也由畢卡索確立：這基準是藝術的品質，亦即一般對它的共識。

「完成一個東西，意味著殲滅它，取走它的生命與心靈。」畢卡索晚期作品和他所說的話一致，有許多系列作及未完成的作品。這有如頑強地在和死亡商議，多給幾個小時，因為還沒有「完成」。畢卡索在有生最後幾年畫得很顛狂，精確記下作品完成的日期，作品也不斷重覆。他試圖凝結每個幸福片刻，好似知道最後一

馬內〈草地上的早餐〉變奏，1961
Le déjeuner sur l'herbe d'après Manet
畫布、油彩，60 x 73 公分
私人收藏

艾杜瓦‧馬內：草地上的早餐，1863
畫布、油彩，208 x 264.5 公分
巴黎，奧塞美術館 (Musée d'Orsay)

大側寫，1963
Grand profil
畫布、油彩，130 x 97 公分
杜塞道夫，北萊茵威斯特法倫美術館

「布拉克有次對我說：『基本上你一直喜歡古
典美感。』沒錯。即使今天我還是如此。總不可
能每年找到一個新的美感吧！」

畢卡索

切終將化為烏有。也許只有一件事是畢卡索會不斷避開的。這件事
他很早在下意識裡便以幾世紀以來古老的象徵語言如骷髏、蠟燭、
花等表現出來。這位知名藝術家的活力，有兩倍人的生命長度，可
足與之對抗；然而現在藝術這個驅邪術必須越來越強，使它不致越
雷池一步。畢卡索最後幾年的畫作，不是一種自滿的回顧，不是對
其一生所做一目了然的總結，也不是一種遺願，而是一個個不斷對
抗死亡的戰鬥。

1968 年 11 月完成的〈拿著煙斗與花的火槍手〉（第 78 頁），
描繪一個抽著煙斗、衣著考究、做懷舊打扮的男士，這是畢卡索認
同的形象，也是他晚年作品不斷出現的人物。簡化的圖像語言，透
出畫布底色，強調線條，題裁的素寫性質，都是現在一再使用的。
「當我和這些孩子一樣大時，我可以畫得像拉菲爾 (Raphael)，而我
卻需要一輩子，才學會畫得像孩子一樣。」畢卡索在 1956 年曾這
麼說。回到表現性，有如孩子般，畫所想像，而不是所看到的，便
是他個人對逐漸接近死亡所作的回應。他想逃避，正如對以秩序、
自然為依歸的傳統藝術認知所作的反應。畢卡索晚年作品再度表達
一種拒絕的態度。

也是在此時畫的〈裸女與抽煙者〉（第 87 頁），畢卡索把美
女與怪獸這一題裁化為永恆。抽煙、留鬚的男人又成為重點，他憔
悴、傴僂，頭過大；然而一個壯碩的裸女伴隨其旁，這是個女體、
慾望的客體。裸女回到畫室，而從他們手的溫柔接觸，以及對望的
目光，可知現在繪畫行為取代了性交。因此畢卡索藉藝術家題裁，
呈現他當時的狀況。這張畫裡，畫家是個窺視者，模特兒則不為他
以前那貪婪目光所動，回視他，似乎以此控訴著，藝術家如此頻繁
利用女體。畫，似乎是逝去歲月所唯一留下的，除了藝術以外，過
去的滿足對當前沒有任何助益。以畫家、模特兒為符碼，畢卡索合
理化了他那毫不懈怠的創作：圖畫是他還活著的唯一明證。

同樣滿臉鬍鬚的抽煙者，也出現在 1969 年 2 月畫的〈林布蘭
特式人物與愛神〉（第 89 頁）裡。四十年前，在《佛拉系列版畫》
裡，畢卡索就已借用林布蘭特。事實上這兩位畫家晚年作品，有部
份令人訝異的類似。他們似乎都侷限於以藝術家自己為題，傾向以
自我肖像作內心的表白，退引到一無所求的藝術世界裡，這都是對
被公眾佔有所作的回應。然林布蘭特不是為了逃避崇拜者，而是要
走避破產管理者。愛神，則是用來陪襯林布蘭特式人物的一個虛設

裸女與抽煙者，1968
Femme nue debout et homme à la pipe
畫布、油彩，162 x 130 公分
琉森，羅森加特畫廊

坐著的老人，1970–1971
Vieil homme assis
畫布、油彩，144.5 x 114 公分
巴黎，畢卡索美術館

人物，藉此把他帶入藝術世界裡。畫家把自己當成圖畫世界裡的一個道具，於是他也成為虛設的人物。

　　帕布羅・畢卡索 —— 世紀奇才。他所過的生活，正是這個中產階級世紀功成名就的典範。不被工作異化，能夠隨時改變，聲名斐然，直到高齡仍不減退的創作力，便是這個生命卓越的地方；但它卻屬於公眾。而他的藝術，走一條中庸的黃金路線，在極端挑釁和不斷妥協中求取均衡，也成為一種典範。畢卡索總喜歡不斷展露他的技藝，以此銜接一般人植基於日常生活的評價標準。藝術與生活，畢卡索將之溶合在自己身上，成為一個楷模。他那出人意表受歡迎之程度，難以估計的財富，成為中產階級拿來誇耀自由與專業的對象。

　　我們可以拿二十世紀從未被質疑的準則：生產及收益，來衡量畢卡索，只有過之而無不及。由於他的聲名大著，使他接近大眾，但又因他已臻人類可能達到的極限，使一般人無法企及，而成為一座遙不可及的閃亮紀念碑。

　　「這就夠了，不是嗎？我還得做什麼？我怎可
能再添加什麼。該說的都說了。」
　　　　　　　　　　　　　　　　　畢卡索

林布蘭特式人物與愛神，1969
Personnage rembranesque et Amour
畫布、油彩，162 x 130 公分
琉森，羅森加特贈予琉森市政府

# 帕布羅・畢卡索 1881–1973：
# 生平與作品

**1881** 帕布羅・路易茲・畢卡索於 10 月 25 日，出生於馬拉嘎，是唐・荷塞・路易茲・布拉斯哥 (1838–1913) 和太太唐娜・瑪麗亞・畢卡索・伊・羅佩絲 (1855–1939) 的第一個孩子。他父親來自北部，是畫家及鎮上工藝學校「聖德爾摩」的素描老師，母親則是安達露西亞人。

**1884** 第一個妹妹蘿拉（ 即多蘿雷絲 Dolorès）出生。

**1887** 第二個妹妹孔塞皮翁（Concepción 即孔琪塔 Conchita）出生。

**1888/89** 在父親指導下開始畫畫。

**1891** 搬到北部的拉可倫納，父親在那兒當素描老師。妹妹孔琪塔死亡。進入中學。幫父親作畫。

**1892** 進入拉可倫納藝術學校。由父親教導。

**1894** 寫、畫日記。父親看出帕布羅的才華，把畫筆、調色盤給他，從此停筆不再畫。

**1895** 搬到巴塞隆那。進入父親執教的《拉隆尼亞》藝術學院。越過前幾級，以優異成績通過高級班考試。

**1896** 第一個工作室在巴塞隆納。第一張「學院式的」油畫，〈第一次聖餐式〉（第 6 頁）展出。

**1897** 〈科學與仁愛〉（巴塞隆納，畢卡索美術館），這第二張大油畫，在馬德里國家藝術展中展出，受到極大好評，並得馬拉嘎金牌。叔伯寄錢來供帕布羅在馬德里讀書用。通過馬德里，「聖・菲南度皇家藝術學院」高級班的考試，但冬天便離開該校。

**1898** 得猩紅熱，回到巴塞隆納。在合爾塔・得・艾布洛小鎮，巴拉雷斯這位朋友家療養很長一段時間。研習風景畫。

**1899** 又回到巴塞隆納。到藝術家、知識份子常去的「四隻貓」酒館；在那兒認識了畫家尤尼爾 —— 米達爾 (Junyer-Vidal)、諾內爾、孫尼爾 (Sunyer) 及卡薩格瑪等，彫塑家胡古耶 (Hugué)、得・索托兄弟、詩人沙巴德斯，即他後來的秘書和終身友人。初識了史丹林 (Steinlen) 及土魯茲 — 羅特列克的作品。為報紙畫插；第一件蝕刻版畫出現。

畢卡索攝於巴黎，1904。上面寫著：給我親愛的朋友蘇珊和歐立（布洛赫）

**1900** 與卡薩格瑪在巴塞隆納共用畫室。在「四隻貓」展出約 150 張素描。10 月赴巴黎。與卡薩格瑪在蒙馬特共用畫室。在畫商那兒見到塞尚、土魯茲 —羅特列克、寶加及波納爾等人的作品，而且畫商馬那赫還每月提供 150 法郎給他，交換其作品。柏絲・威爾 (Berthe Weill) 買了三張鬥牛的粉彩畫。畫〈煎餅磨坊〉（Le moulin de la galette，紐約，古根漢美術館）這第一張巴黎畫作。12 月與卡薩格瑪到巴塞隆納及馬拉嘎旅行。

**1901** 卡薩格瑪在巴黎自殺。畢卡索到馬德里；參與出版《新藝術》(Arte Joven)。5 月，二度到巴黎。工作室在克里奇大道 (Boulevard de Clichy) 130 號。在巴黎於佛拉畫廊首次展畫；開幕前就賣出十五張畫。現在開始只以母親的姓 Picasso 簽名。在以巴黎生活為題裁後（〈喝苦艾酒的女人〉，第 11 頁），現在常以貧、老、孤獨為題。粉彩畫幾乎都是藍灰色的單色畫；藍色時期開始。

**1902** 與馬那赫的合同結束。回到巴塞隆納。4 月在巴黎柏絲・威爾那兒展出作品。繼續發展藍色單色畫。10 月，三度到巴黎。住詩人馬克斯・亞可普那兒。因無錢買畫布，幾乎只作素描。威爾展出其「藍色」畫作。

**1903** 1 月回到巴塞隆納。在十四個月內，畫了五十多幅畫作，其中包括〈人生〉（第 14 頁）。以濃鬱的藍色調表示老、弱的苦難。

〈拿著調色板的自畫像〉草圖，1906
Etudes pour l'autoportrait à la palette
鉛筆，31.5 x 48.3 公分
巴黎，畢卡索美術館

畢卡索在馬拉嘎美色德廣場出生的地方

畢卡索在巴黎索歇路工作室擺出拳擊手的姿勢，約 1916

畢卡索，1917

明」立體派前，完成第一張「立體派」圖畫。到民俗博物館觀看非洲彫塑，開始所謂「黑人時期」階段。參觀兩個塞尚回顧展。經由阿波里奈爾認識布拉克。康懷勒非常喜歡〈亞維農姑娘〉，成為他的專屬ㄅ畫商。

**1908** 在黑人彫塑影響下，畫了無數「非洲式」的裸體。夏天與慧蘭到巴黎北區的波阿路 (La Rue des Bois) 繪畫人像與風景。布拉克在康懷勒那兒，展出早期在伊斯塔克 (L'Estaque) 作的立體派畫作。11 月，舉行向歐立·盧梭致敬的酒會，畢卡索有一張他的畫，放在畫室。

**1909** 畫〈桌上的水果盤和麵包〉（第 36 頁）。「分析性」立體派開始（放棄中心透視圖法，把 形狀分解成小塊面的立體幾何構圖。）5 月，與慧蘭到巴塞隆納探望父母和友人。接著到合爾塔·得·艾布洛旅行。在那兒，是他一生中最富創造力的階段，以分析性立體派畫風景、建築（〈水庫，合爾塔·得·艾布洛〉，第 33 頁）。慧蘭肖像（〈女人與梨子〉，第 39 頁）。9 月搬到克里奇大道 11 號，皮卡廣場 (Place Pigalle) 附近與布拉克為鄰。作〈慧蘭〉彫像（第 46 頁左）、數幅靜物畫。首次在德國展出（慕尼黑，唐豪瑟畫廊）

**1910** 完成畫商佛拉（第 38 頁）、康懷勒（芝加哥美術館）、藝評家烏德（Uhde，私人收藏）的著名立體肖像。夏天與慧蘭到巴塞隆納近郊的佳達格 (Cadaqués)；德安與太太也來會合。

**1911** 首度在紐約展出。夏天與慧蘭、布拉克到色黑（Céret，庇立牛斯山）。首次把印刷字母放到構圖中。由於不知情向小偷買的兩個伊比利半島彫塑，必須還給羅浮宮。與慧蘭的關係發生危機；結識艾娃·高爾（Eva Gouel 即 Marcelle Humbert），畢卡索稱她為「我的美人兒」(Ma Jolie)。畫〈男人與曼陀鈴〉（巴黎，畢卡索美術館）

**1912** 以鉛片和鐵絲作了第一個構成。以臘布仿製籐椅，完成第一個拼貼作品（〈籐椅靜物〉，巴黎，畢卡索美術館）。與艾娃到色黑、亞威農、索格 (Sorgues)，並在此與布拉克會合。開始創作紙貼畫，拼組報紙標題、標籤、廣告用語，再加上碳筆。9 月從蒙馬特搬到蒙巴納斯 (Montparnasse) 的哈斯拜大道 (Boulevard Raspail) 242 號。與康懷勒簽訂三年約。

**1913** 春天與艾娃到色黑，與布拉克、德安會合。父親逝於巴塞隆納。「紙貼

**1904** 在巴黎定居。工作室在「洗衣舫」，哈維農路 13 號（直到 1909 年）。認識慧蘭·歐麗薇葉這位他往後七年的戀人。作〈簡省的一餐〉（第 28 頁左）蝕版畫。常去觀賞看美達若馬戲團演出（激發以馬戲班、賣藝人為題材），也常到「敏捷的兔子」咖啡館。藍色時期結束。

**1905** 認識阿波里拉爾和李歐、哲楚德·史坦茵姐弟。常畫馬戲班題材，如〈賣藝人家〉（第 25 頁）。粉紅時期開始。夏天到荷蘭舒爾 (Schoorl) 旅行。開始從事彫塑。並創作〈走索者〉系列蝕版畫。

**1906** 在羅浮宮看到伊比利亞半島的彫塑展，印象深刻。認識馬帝斯、德安，及畫商康懷勒。佛拉買了大半「粉紅」時期的畫作，使畢卡索首次可以無憂無慮地生活。與慧蘭一起到巴塞隆納探望父母；接著到位於北加泰隆納的郭索爾鎮。在那兒畫了〈梳妝〉（第 27 頁）。在伊比利亞半島彫塑影響下的作品有〈哲楚德·史坦茵畫像〉（紐約，大都會美術館）、〈拿著調色板的自畫像〉（第 2 頁）。

**1907** 畫〈自畫像〉（第 32 頁）。為〈亞維農姑娘〉（第 34, 35 頁）作許多草圖和不同變作，終於在 7 月，未「發

畫」發展為「綜合性」立體派。（大的、平坦的、符號性的造形；參較〈吉他〉，第 41 頁）。艾娃與帕布羅生病回到巴黎。搬到索歇路 (Rue Schoelcher) 5 號。

**1914** 〈賣藝人家〉（第 25 頁）拍賣賣到 11500 法郎。6 月與艾娃到亞維農；與布拉克、德安會合。畫「點描」(pointillist) 畫。戰爭爆發，布拉克與德安被徵召當兵。康懷勒到義大利去，他的畫廊被充公。畢卡索的畫風變得晦暗。

**1915** 以寫實的畫風繪製馬克斯·亞可普和佛拉的鉛筆肖像。畫〈小丑〉（第 45 頁）。

**1916** 經由科克多認識俄羅斯的芭蕾舞團總監迪亞吉列夫及作曲家沙第。為《俄羅斯芭蕾舞團》作的芭蕾舞〈校閱〉，由畢卡索設計舞台。搬到蒙圖吉 (Montrouge) 維克多·雨果路 (Rue Victor Hugo) 22 號。

**1917** 與科克多到羅馬，和迪亞吉列夫的舞團會合，為〈校閱〉做設計。認識史特拉文斯基 (Strawinsky) 及俄羅斯舞者奧嘉·科克洛娃。到拿波里及龐貝旅行。由於奧嘉之故，與舞團到馬德里、巴塞隆納。奧嘉留在他身邊。11 月又回到蒙圖吉。繪製「點描」畫。

奧嘉・畢卡索，1923
Olga Picasso
畫布、油彩，130 x 97 公分
私人收藏

**1918** 由於芭蕾而和「上流」社會接觸；改變他的生活風格。羅森柏格 (Rosenberg) 成為他新的畫商。與奧嘉結婚，到比亞西茲 (Biarritz) 度蜜月。阿波里拉爾去世。與奧嘉搬到拉・波耶提路 (Rue La Boétie) 23 號。

**1919** 認識米羅，並買了一幅畫。與「俄羅斯芭蕾舞團」到倫敦三個月。為「三角獸」(Le Tricorne) 做設計；畫舞者素描。夏天與奧嘉到里維拉 (Riviera) 海岸的聖・拉菲爾 (Saint-Raphaël)。畫〈午睡〉（第52頁）及立體派風格的靜物。

**1920** 為史特拉文斯基的〈普契內拉〉(Pulcinella) 芭蕾做設計。康懷勒結束流亡生活回來。夏天與奧嘉到聖・拉菲爾及尚・勒・平 (Juan-les-Pins)。以喜劇藝術題裁作膠彩畫。

**1921** 兒子保羅 (Paul 或 Paolo) 出世。「母親與孩子」題裁再度出現。為其他的芭蕾演出設計。法國在戰時沒收的康懷勒及烏德收藏被拍賣。夏天與奧嘉到楓丹白露 (Fontainebleau)。畫〈戴面具的音樂家〉（第56頁），以及一些巨大的人像構圖。

**1922** 收藏家杜謝 (Doucet) 以 25000 法郎買下〈亞維農姑娘〉（第35頁）。夏天與奧嘉及保羅到迪納（布列塔尼）度假，在那兒完成〈在沙灘上跑的女人〉（第53頁）。冬天，為科克多的〈安提格尼〉(Antigone) 製作布幕。

**1923** 以新古典風格畫小丑肖像。夏天在安提貝岬；母親瑪麗亞來訪。畫〈牧笛〉（第55頁），作泳者草圖。在巴黎畫奧嘉及保羅的肖像。

**1924** 以裝飾性立體風格創作許多靜物畫。又為芭蕾舞做舞台設計。與奧嘉及保羅到尚・勒・平。畫〈扮小丑的保羅〉（第50頁）肖像。布荷東發表《超現實主義的宣言》。

**1925** 春天，與奧嘉及保羅到蒙特卡羅 (Monte Carlo) 觀賞芭蕾舞演出。畫〈舞〉（倫敦，泰德畫廊），首次影射與奧嘉的緊張關係。夏天到尚・勒・平。畫〈石膏頭與手臂〉（第57頁），畫中可見保羅布偶劇場的道具。11 月首次參與超現實主義畫展。

**1926** 以集合物手法（以拾得物，如襯衫、抹布、鐵釘、線等來拼組）作了系列以吉他為題的作品。到尚・勒・平、安提貝度假。10 月與奧嘉到巴塞隆納。

**1927** 在街上向瑪莉・泰瑞莎・瓦特搭訕，不久，她成為他的戀人。葛利斯 (Gris) 去世。以鋼筆素描畫了系列游泳的女人，帶強烈的性意味。

**1928** 在 1914 年後，首度再作彫塑。與彫塑家貢薩列斯 (Gonzalez) 見面。夏天與奧嘉及保羅到迪納。與瑪莉・泰瑞莎幽會。作一些小而色彩強烈、素描是的作品。為阿波里拉爾紀念碑設計不同的鐵線構成。

**1929** 與貢薩列斯一起創作彫塑和鐵線構成。系列以女人頭像為題，具攻擊性的畫作，顯現婚姻危機。夏天到迪納。

**1930** 在貢薩列斯工作室創作金屬彫塑。畫〈耶穌受難像〉（巴黎，畢卡索美術館）。購買巴黎北部吉索 (Gisors) 附近的波傑魯別墅。到尚・勒・平度假。為奧維得 (Ovid) 的《變形》作了三十張蝕版畫。為瑪莉・泰瑞莎・瓦特在拉・波耶提路 44 號找到住處。

**1931** 以洗菜的篩水器作〈女人頭像〉（第47頁右）。在波傑魯安置一個彫塑工作室。作一系列大的頭像彫塑和半身彫像。到尚・勒・平度假。在史吉哈 (Skira) 和佛拉那兒展出蝕版畫系列。

**1932** 作系列的坐或臥的金髮女人，以瑪莉・泰瑞莎為模特兒。在巴黎和蘇黎世舉辦大型回顧展（236 件作品）。克里斯提安・查佛斯 (Christian Zervos) 出版第一本作品集（到現在為止已有三十四本）。

畫〈格爾尼卡〉時攝，1937

**1933** 以彫塑家工作室為題創作蝕版畫，成為後來的《佛拉系列版畫》（第29頁），並作以〈米諾陶洛斯〉為題的素描。與奧嘉及保羅到坎城度假。接著開車到巴塞隆納，與老友們見面。擔心引起奧嘉嫉妒，而試圖阻止慧蘭・歐麗薇葉出版回憶錄，卻徒勞無功。

**1934** 繼續創作蝕版畫。在波傑魯作彫塑。與奧嘉及保羅到西班牙各地觀看鬥牛（聖・塞巴斯提安、馬德里、托雷多、巴塞隆納）。以各種技術創作無數以鬥牛為題的作品。

**1935** 畫〈兩個女人〉（第60頁）；從 5 月到 1936 年 2 月，沒再作任何畫。作〈與米諾陶洛斯搏鬥〉（第30頁上），這是他最重要的蝕版畫系列。瑪莉・泰瑞莎懷孕；與奧嘉及保羅分居；離婚則因財產分配問題而延後。畢卡索：「這是我生命中最低潮的時期。」10 月 5 日瑪麗亞・德・拉・孔塞皮翁 (María de la Concepción)，又叫瑪雅出生，是畢卡索的第二個孩子。沙巴德斯，這位畢卡索年輕時代的朋友，成為他的秘書。

**1936** 畫作在巴塞隆納、畢巴歐 (Bilbao)、馬德里巡迴展出。偷偷的與瑪莉・泰瑞莎和瑪雅到尚・勒・平。以米諾陶洛斯為題創作。7 月 18 日西班牙內戰爆發。站在反對佛朗哥的這一派；共和黨人為了感謝他，任用他為普拉多美術館館長。8 月到坎城附近的姆甘。認識朵拉・瑪爾這位南斯拉夫的女攝影

攝於大奧古斯丁路的工作室，1944

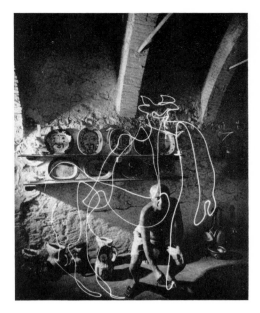

畢卡索以手電筒畫畫，瓦洛西，1949

師。秋天，把波傑魯讓給奧嘉，自己搬到佛拉房子。瑪莉・泰瑞莎與瑪雅隨後也搬來共住。

**1937** 作〈佛朗哥的夢與謊言〉蝕版畫。搬到大奧古斯丁路 7 號新的工作室，在那兒為巴黎世界博覽會西班牙國家館作巨幅壁畫：〈格爾尼卡〉（第 68/69 頁），描繪德軍轟炸格爾尼卡景象（4月 26 日）。夏天，在姆甘畫朵拉・瑪爾肖像（第 63 頁）。到伯恩拜訪保羅・克利 (Paul Klee)。紐約現代美術館以 24000 美金買下〈亞維農姑娘〉（第 35 頁）。

**1938** 畫了多幅不同的瑪雅與玩具（第 71 頁）。創作實物大小的拼貼〈梳妝的女人〉（巴黎，畢卡索美術館）。夏天與朵拉到姆甘。冬天嚴重的坐骨神經痛發作。

**1939** 畢卡索母親逝於巴塞隆納。同一天裡，畫朵拉・瑪爾及瑪莉・泰瑞莎擺同樣姿勢的肖像。7 月與朵拉和沙巴德斯到安提貝。佛拉去世。畫〈安提貝的夜間打魚〉（第 74 頁）；之後畫朵拉與腳踏車和冰淇淋。戰爭爆發時，與朵拉和沙巴德斯到羅揚 (Royan)；瑪莉・泰瑞莎與瑪雅也來。在這兒停留到 1940 年 8月，中間曾離開。在紐約舉行大型的回顧展，展出 344 件作品，包括〈格爾尼卡〉。

**1940** 來往於羅揚與巴黎間跑來跑去。於羅揚完成〈梳髮的女子〉（紐約，史密斯收藏館）德軍攻入比利時、法國，六月佔領羅揚。回到巴黎。離開在拉・波耶提路的住處，搬到大奧古斯丁路的

工作室。把〈格爾尼卡〉的照片分給德國軍官（問：「這是您作的嗎？」畢卡索答：「不，是您。」）

**1941** 寫超現實劇《如何抓住願望的尾巴》。瑪莉・泰瑞莎與瑪雅搬到亨利五世大道 (Boulevard Henri IV)；畢卡索週末去看望她們。因為被禁止離開巴黎，而無法在波傑魯工作。臨時把浴室當彫塑工作室使用。

**1942** 畫〈牛頭骨靜物〉（第 73 頁）。弗拉敏克 (Vlaminck) 在報紙上攻詰他。畫穿條紋襯衫的〈朵拉・瑪爾肖像〉（紐約，翰恩收藏）

**1943** 作集合物〈牛頭〉（第 48 頁上中）及彫塑。認識年輕女畫家法蘭絲娃・季洛；她常來工作室。又開始畫畫。

**1944** 馬克斯・亞可普被捕，死於集中營。作大彫塑〈男人與羊〉（第 48 頁左）。朗讀《如何抓住願望的尾巴》，參與的還有阿伯特・卡謬 (Albert Camus)、西蒙・德・波娃 (Simone de Beauvoir)、尚 —— 保羅・沙特 (Jean-Paul Sartre)、雷蒙・格諾(Raymond Queneau)等。在巴黎解放後，加入共產黨。首度以 74 幅畫作參加「獨立沙龍展」，遭強烈批評。

**1945** 畫〈藏屍室〉（第 75 頁），為與〈格爾尼卡〉遙相呼應的作品。7 月與朵拉・瑪爾到安提貝。為法蘭絲娃在附近租房間，然她卻到布列塔尼去。為朵拉在美內布村買房子，以一靜物畫付

大師的左手，1947

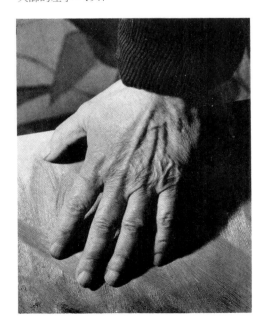

錢。開始在巴黎費南・慕洛工作室作石（到 1949 年共作了 200 件）。　）。

**1946** 和法蘭絲娃一起到尼斯 (Nizza) 拜訪馬帝斯；她成為畢卡索的新戀人，並搬去與他同住。以法蘭絲娃為模特兒作畫及作石版畫。7 月與她到美內布；住在為朵拉買的房子裡。法蘭絲娃懷孕。畢卡索被允許在安提貝美術館工作，四個月後，贈送給美術館無數畫作，不久該館就改名為畢卡索美術館。首次到瓦洛西短暫停留。

**1947** 在慕洛工作室作石版畫。捐贈十張畫給巴黎國立現代美術館。5 月 15 日法蘭絲娃生下克勞德，畢卡索第三個孩子。開始到哈米耶夫婦的「瑪度哈」陶藝工場作陶。到 1948 年，約作了 2000件作品（第 76/77 頁）。

**1948** 與法蘭絲娃和克勞德搬到瓦洛西的「拉・嘎拉斯」別墅。參加知識份子在佛洛茲羅 (Wroclaw) 的和平會議；參觀位於克拉考 (Cracow) 和奧斯維茲 (Auschwitz) 的集中營。在巴黎展出陶作。畫法蘭絲娃肖像。

**1949** 為巴黎世界和平會議作〈鴿子〉石版海報（第 64 頁左）。4 月 19 日帕洛瑪出生（名字取自海報題裁，西班牙文意思為「鴿子」），是畢卡索第四個孩子。租舊香水廠為工作室，並用以存放陶作。繼續從事彫塑創作。

**1950**〈庫爾貝《塞納河邊的女人》變奏〉（巴塞爾美術館）以廢棄物作〈山羊〉、〈女人與嬰兒車〉彫塑，再以銅

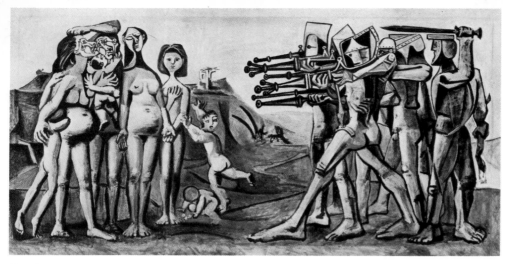

**韓國大屠殺，1951**
Massacre en Corée
夾板、油彩，109.5 x 209.5 公分
巴黎，畢卡索美術館

塑（第 48, 49 頁）。到雪費爾得 (Sheffield) 參加世界和平會議。獲列寧和平獎，成為瓦洛西的榮譽市民。

**1951** 畫〈韓國大屠殺〉抗議美國的入侵。離開在拉・波耶提路的房子，搬到格・魯薩克路 (Rue Gay-Lussac) 9 號。在瓦洛西作陶。創作彫塑〈母狒和寶寶〉（第 48 頁下）。在東京舉行回顧展。

**1952** 為瓦洛西新的「和平寺」畫兩幅大型壁畫，〈戰爭〉與〈和平〉。與法蘭絲娃的關係惡化。

**1953** 在瓦洛西工作。於羅馬、里昂、米蘭和聖保羅舉行大展。因史達林去世而作的肖像，造成與共產黨的爭議。作系列法蘭絲娃的半身像及頭像。與瑪雅和保羅到培皮農 (Perpignan)。在那兒認識賈桂琳・羅克 (Jacqueline Roque)。法蘭絲娃與孩子一起搬到格・魯薩克路。

**1954** 認識年輕的女孩絲維特・大衛 (Sylvette David)；作系列的肖像畫，也畫賈桂琳肖像。與法蘭絲娃、孩子到瓦洛西，賈桂琳也來。與瑪雅和保羅到培皮農。與法蘭絲娃分手。賈桂琳搬去同

住。馬帝斯去世（畢卡索：「只有馬帝斯才是真正的畫家。」）。開始創作拉克瓦的〈阿爾及爾女人〉變奏。

**1955** 奧嘉・畢卡索死於坎城。與賈桂琳到普羅旺斯。在巴黎舉行較大的回顧展（之後巡迴到慕尼黑、科隆、漢堡）克魯左 (Clouzot) 拍攝電影《畢卡索的奧秘》(Le Mystère Picasso)。購買坎城的「拉・加利福尼」別墅，畫賈桂琳肖像。

**1956** 創作系列的畫室圖，其中包括〈坎城「拉・加利福尼」畫室〉（第 80 頁）以及〈賈桂琳在畫室〉（第 81 頁）。把原為木製的〈泳者〉（第 49 頁上）改為大型銅製彫塑。在瓦洛西與陶藝工作者們一起慶祝七十五歲生日。寫信給共產黨，抗議俄羅斯入侵匈牙利。

**1957** 在紐約、芝加哥、費城舉行展覽。在「拉・加利福尼」畫四十多張委拉斯蓋茲〈侍女〉的變奏（第 84 頁）。受委託為巴黎的聯合國教育及科、文組織大樓作壁畫。

「這個人決定了我們這個時代的藝術；我們的世紀是畢卡索的。當然，我們這個時代也有其他偉大的畫家、彫塑家；但帕布羅・畢卡索勝於他人，因為不僅繪畫上，在彫塑、版畫上，他也開起了新的路徑，以此形塑我們看得到的世界。」
丹尼爾・歐立・康懷勒

**畢卡索與帕洛瑪、克勞德攝於瓦洛西，1953**

**看瓦洛西鬥牛，1955**
畢卡索坐在賈桂琳與科克多之間。他後面拿著吉他的是瑪雅，兩旁則為帕洛瑪、克勞德。

**畢卡索的畫商丹尼爾・歐立・康懷勒，1957**
Le marchand d'art de Picasso Daniel-Henry Kahnweiler
轉印紙、蠟筆，64 x 49 公分

畢卡索的「拉・加利福尼」畫室，坎城，1955
L'atelier de Picasso《 La Californie》à Cannes
鉛筆，65.5 x 50.5 公分

坐著的男人（自畫像），1965
Homme assis (autoportrait)
畫布、油彩，99.5 x 80.5 公分
姆甘，賈桂琳・畢卡索收藏

**1958** 完成聯合國大樓上的壁畫〈伊卡魯斯的墜亡〉。買下埃克斯・普羅旺斯附近的佛文納菊別墅；1959 年至 1961 年間偶而在此工作。

**1959** 在佛文納菊別墅作畫。開始創作馬內的〈草地上的早餐〉變奏（第 85 頁）。轉而從事膠版畫。

**1960** 在倫敦泰德畫廊舉行回顧展，展出 270 件作品。剪紙板設計大平面的金屬彫塑。

**1961** 在瓦洛西與賈桂琳・羅克結婚。搬進坎城附近的《娜特丹・德・米別墅》(Villa Notre-Dame-de-Vie)，於瓦洛西慶祝 80 歲生日。以上色和折凹的金屬板創作。

**1962** 為賈桂琳作了七十多件肖像。再度獲列寧和平獎。為巴黎芭蕾舞團作舞台設計。創作許多膠版畫。

**1963** 繪製不同的賈桂琳肖像及系列〈畫家與模特兒〉題裁作品。巴塞隆納的畢卡索美術館開館。布拉克與科克多去世。

**1964** 法蘭絲娃・季洛出版回憶錄《與畢卡索生活的日子》，造成畢卡索與克勞德、帕洛瑪決裂。在加拿大、日本展出其作品。為芝加哥民眾中心依〈女人頭像〉設計大型金屬彫塑（1967 年完成）。

**1965** 以〈畫家與模特兒〉為題，作系列繪畫，也畫風景畫。因胃疾到塞納河上游的惹依 (Neuilly-sur-Seine) 開刀；最後一次到巴黎。

**1966** 再度作素描、繪畫；夏天開始，也作版畫。在巴黎大皇宮及小皇宮舉辦一個大型，含蓋全部作品的回顧展（計有七百多件）以及許多畢卡索自己收藏的彫塑。

**1967** 拒絕榮譽勳章。必須搬離大奧古斯丁路的工作室。在倫敦、紐約展出作品。

**1968** 沙巴德斯去世。畢卡索送給巴塞隆納的美術館 58 張〈侍女〉系列畫作。在七個月內完成 347 張蝕版作品。

「畢卡索每一件作品都讓觀眾大吃一驚，之後驚訝便會轉為佩服。」　　翁布拉斯・佛拉

「您等著我告訴您，藝術是什麼？如果我知道，也不會告訴你。」　　畢卡索

**1969** 完成無數繪畫：臉、情侶、靜物、裸體畫、抽煙者（參見第 89 頁）。

**1970** 把西班牙家裡保存的畫作送給巴塞隆納的美術館（年輕時代在巴塞隆納和拉可倫納的作品）。

**1971** 慶祝 90 歲生日。

**1972** 創作系列自畫像素描。捐贈 1928 年設計的〈鐵絲構成〉（第 47 頁左）送給紐約現代美術館。

**1973** 4 月 8 日逝於姆甘。4 月 10 日葬於佛文納菊別墅的花園裡。

**1979** 為付遺產稅，一大部份重要的畢卡索私人收藏的作品歸法國政府。於大皇宮展出這些作品（成為後來的巴黎畢卡索美術館）。

**1980** 為慶祝紐約現代美術館 50 週年慶，舉行到當時為止最大型的畢卡索回顧展。

**1985** 在巴黎「沙列飯店」(Hôtel Salé) 舉行畢卡索美術館的開館儀式（該館收有 203 幅繪畫，191 件彫塑，85 件陶作，3000 多件素描和版畫）。

作者感謝美術館、收藏家、攝影師、資料館提供圖片與協助。尤其感謝 Galerie Rosengart, Luzern, 及 André Rosselet, Neuchâtel

圖片來源：Editions Ides et Calendes, Neuchâtel. Archiv Alexander Koch, München. Gruppo Editoriale Fabbri, Mailand. Editions d'Art Albert Skira, Genf. André Held, Ecublens. Paul Bernard, Paris. John Miller, New York. Matthias Buck, München. Ingo F. Walther, Alling. Walther & Walther Verlag, Alling.

畢卡索語錄，除少數例外，都引自：

"Wort und Bekenntnis", Arche 出版社，蘇黎世

"Picasso sagt...", 作者 Hélène Parmelin, Kurt Desch 出版社，慕尼黑